ALEXANDRE DES ISNARDS ET THOMAS ZUBER

Alexandre des Isnards et Thomas Zuber sont devenus amis à Sciences-Po (promo 1997) et ont commencé leurs carrières comme consultants en ressources humaines et en communication. En 2008, ils ont
publié *L'open space m'a tuer*, véritable phénomène
éditorial suivi d'un autre succès : *Facebook m'a tuer*
(2011). Thomas Zuber est décédé le 7 novembre
2011. Cette publication en poche lui est dédiée.

FACEBOOK
M'A TUER

ALEXANDRE DES ISNARDS
THOMAS ZUBER

FACEBOOK
M'A TUER

NiL

Pocket, une marque d'Univers Poche,
est un éditeur qui s'engage pour la
préservation de son environnement et
qui utilise du papier fabriqué à partir
de bois provenant de forêts gérées de
manière responsable.

© NiL Éditions, Paris, 2011
ISBN : 978-2-266-22144-3

À Amélie,

Alexandre

À ma fille Romane,
À mon beau-père Charles,

Thomas

Sommaire

Prologue

Avec *L'Open space m'a tuer*, des proches et des moins proches nous ont raconté leurs histoires de bureau. Des histoires qui se poursuivaient souvent la porte de l'open space refermée mais quand nous leur demandions de nous en dire plus, le couperet tombait : « Ah non je ne vais pas vous raconter ça, c'est intime ! » Tellement intime que nous retrouvions la suite de l'histoire sur leur page Facebook...

Nous avons donc surfé sur des dizaines et des dizaines de profils Facebook, recueilli et observé tchats, mails, statuts, SMS, tweets de nos amis, de nos familles, en plus des nôtres bien sûr. Forts de ces infos « privées », nous sommes retournés les voir. Et là, ils nous ont parlé.

Mark Zuckerberg, le fondateur de Facebook, a raison : « La norme sociale est en train de changer. » Facebook mais aussi Google, Twitter, MSN sont entrés dans nos conversations et dans nos vies. Sans le savoir, sans le voir, nous ne gérons plus nos relations personnelles comme avant, comme il y a à peine cinq ans. Chacun, aujourd'hui, se transforme en petit centre de profit : cet ami m'a déçu ? Pas grave, j'en ai deux cent cinquante autres sur mon profil Facebook.

Ce mec ou cette fille ne me plaît plus ? Pas grave, j'ai vingt candidats en attente sur mon compte Meetic. J'ai promis à un ami de venir à sa soirée mais en fait j'ai un autre plan ? Pas grave, je lui envoie un SMS d'annulation pour « contrainte de dernière minute ».

Nous n'allons pas vous décrire les dérives de Facebook qui font les gros titres. Pas de suicide ou de mise à pied dans les pages qui suivent, mais le récit de cette utilisation quotidienne d'Internet qui modifie en silence mais en profondeur nos comportements.

Il n'y a pas si longtemps, on s'appelait au téléphone pour se donner rendez-vous et on se voyait. Aujourd'hui, on s'envoie des « bizzz » et des « love » et des « on se voit quand ??? » par tchat, mail ou SMS et il n'a jamais été aussi difficile de se voir.

Hier, on appelait ses amis « en direct » pour les inviter à une soirée. Aujourd'hui, on fait un e-mail collectif ou alors on crée un événement sur Facebook où de plus en plus d'« amis » cochent la case « je participerai peut-être ».

Hier, quand on allait à un rendez-vous avec un inconnu, c'était pour le connaître. Aujourd'hui, on le « google » avant, et la rencontre ne nous apprend plus rien.

Hier, on croyait qu'une naissance, un week-end en amoureux ou un dîner arrosé relevaient de la sphère privée. Aujourd'hui, la génération transparente balance ces photos sur la Toile, parce que c'est fun, parce qu'on n'a rien à cacher, parce que tout le monde le fait.

On arrête là. Vous avez compris. Facebook est un révélateur et un amplificateur de nos nouvelles façons de « gérer » nos relations amicales, familiales ou amoureuses. Facebook n'est pas seulement un site Internet, c'est un mode de vie. C'est le vôtre, c'est le nôtre.

Zuck : J'ai plus de 4 000 e-mails, photos, adresses
Un ami : Quoi ? Comment t'as réussi à obtenir ça ?
Zuck : Ils l'ont juste donné
Zuck : Je ne sais pourquoi
Zuck : Ils me « font confiance »
Zuck : Putain d'abrutis

Marck Zuckerberg (Zuck),
fondateur de Facebook, 2004[1].

---

1. Extrait d'un tchat entre Zuckerberg et un ami étudiant au début de Facebook, *Business Insider*, 13 mai 2010.

Nous sommes tous de la génération Y

— *Ça y est ! Natacha a accouché.*
— *Ah oui ! il est trop mignon son p'tit bonhomme !*
— *T'as été à la maternité ?*
— *Non je l'ai vu sur Facebook. Y a plein de photos du petit sur son mur. Ah sinon, j'ai discuté avec Jean hier soir.*
— *Vous étiez au resto ?*
— *Bah non sur MSN. Y a encore une nana qui l'a dragué.*
— *La même que l'autre fois, la blonde mimi du boulot ?*
— *Non, non c'est une nouvelle qui l'a mis dans son panier sur Adopte.*
— *…*

Bienvenue dans le quotidien de la génération Y. Nés avec le numérique, les « *Whyers* » sont connectés vingt-quatre heures sur vingt-quatre, sept jours sur sept ; ils essayent tout, sont à l'aise avec tout, s'amusent de tout. Ce sont eux bien sûr qui ont lancé Facebook. Au départ, pour blaguer : « Regarde, il a mis Denver le dinosaure en photo de profil. » « Quel nénuphar es-tu ? » « Mate la vidéo du lapin qui saute dans un cercle enflammé. » On était potache sur le site de

Zuckerberg en 2007. Et aussi peu nombreux. 107 000 dans l'Hexagone. Aujourd'hui, Facebook compte 20 millions d'inscrits en France, 600 millions dans le monde, et vise le milliard.

On y rigole toujours, mais avec famille, amis, collègues. Désormais, nous sommes tous connectés. À 70 ans, Grand-Tante prend son iPhone partout avec elle, même dans sa salle de bains, au cas où sa fille l'appellerait. Fabrice et Justin, 13 ans, tchatent sur MSN dès la sortie du collège. Sabrina et Marco, 17 ans, s'envoient des SMS langoureux sous leur oreiller. Nathalie, 55 ans, découvre la bobine de Gérard sur la Webcam de Meetic[1]. Benjamin, 41 ans, retrouve Julie, son amour de 20 ans, sur Facebook. Au café, des couples de seniors prennent le thé sans se parler, absorbés par leurs smartphones.

« Bip ! », « wizz ! », « ting ! », « dring ! » : famille, amis, collègues, amours, tous nous sollicitent, incitent, excitent.

Si ça se trouve, vous allez vous arrêter en pleine lecture de cette page pour regarder le dernier statut de votre copain sur Facebook. Ou – *ting !* – découvrir le SMS de votre copine Léa qui veut savoir si votre rendez-vous de demain matin « tient toujours ». Ou alors récolter vos fraises sur Farmville. Ou tout simplement raconter sur Facebook que vous êtes en train de nous lire et que vous « aimez ça ».

Même si vous tenez bon face à tous ces stimuli, une partie de votre esprit est occupée par vos trois invitations en suspens sur Facebook et l'e-mail collectif d'une amie d'enfance de passage à Paris. Merci

---

1. 4,9 millions de Français se connectent sur un site de rencontres en ligne.

de votre attention car nous-mêmes avons eu du mal à écrire ces pages avec Facebook, MSN et Meetic ouverts en même temps.

Et si on s'extrayait du flux ? Passons en mode vibreur, rendons-nous « invisibles » sur MSN, basculons nos SMS en mode silencieux. Ne répondons plus aux appels inconnus. Blacklistons nos partenaires de Meetic et « ignorons discrètement » nos nouvelles « demandes en amitié » sur Facebook.

C'est sous contrôle ? Pas vraiment. Nos amis nous pistent, nous taguent, nous pokent, nous géolocalisent sans prévenir. Laura a pris une photo de vous éméché, les yeux rouges, la glotte à l'air et vous « tague » sur Facebook en la publiant avec votre nom sur votre visage. Nadia vous a croisé dans un bar et annonce à tous vos contacts que « vous êtes là ». Votre collègue Véronique vous a reconnu sur Meetic et vous envoie un petit clin d'œil par tchat. Vous n'avez rien pu faire.

Ces nouveaux moyens de communication ne sont pas neutres. Ils deviennent addictifs, incontournables, et modifient nos rapports. Personne ne nous oblige à les acheter ou à les allumer. C'est vrai. Mais aujourd'hui celui qui coupe son téléphone, son ordinateur ou sa tablette numérique disparaît. Nous sommes tous de la génération Y.

Câlins virtuels

Nadège est une jeune Parisienne bien sous tous rapports. Pas de *pathos* en vue. Un peu stressée, mais sans plus. Un bon job chez Hash&M. Des parents qui l'aiment d'Angoulême. Des vacances au soleil posées en janvier.

Mais tout ça c'est fragile, elle le sait. Surtout avec les années, le besoin d'aimer et le besoin d'amour se font plus fort. Nadège n'a pas forcément envie de se remettre en couple – elle a mis un an à faire le deuil de sa dernière relation – mais veut juste une oreille, quelqu'un à qui raconter ses journées… Pour l'instant, elle téléphone beaucoup à sa mère, mais celle-ci angoisse facilement. Normal. À 35 ans, sa fille n'est toujours pas mariée, n'a pas d'enfant et travaille beaucoup trop. Et encore, elle ne lui dit pas tout.

Alors, Nadège a pris l'habitude de raconter sa vie sur Facebook.

Comme ce vendredi matin où, malgré ce froid d'automne humide, elle est ravie d'annoncer qu'elle peut enfin remettre ses talons. Pendant trop longtemps, son entorse à la cheville l'avait empêchée de passer de 1,65 mètre à 1,75 mètre.

Nadège Prunot Grand jour : 4 mois après l'opération, je peux a nouveau remettre des talons aiguilles… et ca, c'est bo. Tout le monde s'en fout et c'est normal. Mais moi, ca m'a fait verser une tite larme, si si !

29 octobre, à 10:07 · **J'aime** · **Commenter**

4 personnes aiment ça.

Denis Chiesa C'est vrai qu'on s'en fout ! ; –) Et les tennis, c'est pour quand ?
vendredi, à 12:54 · **J'aime**

Nadège Prunot @Denis : tu me manques trop, je tente mercredi prochain (sans les talons promis !)
vendredi, à 16:08 · **J'aime**

Denis est son partenaire de tennis. Les quatre autres ? Des amis bienveillants qui se contentent de dire qu'ils « aiment ça ». Personne « n'aime pas ça ». D'ailleurs le bouton « Je n'aime pas » n'existe pas sur Facebook.

Un peu plus tard en début d'après-midi, c'est calme, très calme au siège d'Hash&M. Le week-end pointe son nez. Nadège est seule dans son petit bureau. Selma, son assistante stagiaire, est en cours le vendredi. Alors, elle se crée son open space sur Facebook en interpellant qui veut sur un sujet brûlant.

Nadège Prunot Tuerais pour un paquet de M&M's, là, tout de suite !!
29 octobre, à 15:35 · **J'aime** · **Commenter**

Amina Padan aime ça.

Amina Padan Ne craque paaaaaaaaaaaaaaaaaaaa aaaaaas !!!! nooooooooooooooooooooonnnnnn !! : –)
29 octobre, à 15:56 · **J'aime**

Ingrid Mentolin Passe à mon bureau j'ai le petit paquet que je t'avais gardé !
29 octobre, à 15:57 · **J'aime**

Amina Padan Naaaaaaaaaaaan !! Nadegeeeeeee eee eeeeeeeeeeeeeee !!!
29 octobre, à 16:01 · **J'aime**

23

Amina Padan Alors, ne vous méprenez pas, j'ai pas du tout le tic de faire répéter les voyelles ! Pas du tooooouuuuuuuut !!!!!!!

29 octobre, à 16:03 · **J'aime**

Ingrid Mentolin Moi j'avais pas de M&M's sous la main... J'ai dû me rabattre sur les kit-kat !!!

29 octobre, à 19:49 · **J'aime**

Amina bosse à La Défense, Nadège dans le 9ᵉ, et Ingrid à La Plaine Saint-Denis. On dirait des voisines de bureau qui décompressent. Amina, Ingrid, deux super-copines de Nadège, échangent souvent des *private jokes* de mur à mur entre deux Power-Points.

Nadège rentre directement chez elle après le boulot. Elle a pris sa soirée : il faut qu'elle range son appartement et qu'elle prépare ses affaires pour son départ demain matin en train chez ses parents.

Mais, en arrivant, la première chose qu'elle fait, c'est un petit tour sur Facebook pour voir si les copines sont là. À 21 h 54, Ingrid est bien derrière son écran, Amina aussi.

Amina Padan Ma Jaja !!!! BISOUUU j'te kiff eheheheh

Il y a environ une heure · **J'aime** · **Commenter**

Ingrid Mentolin c gentil ca !!! moi aussi, tu le sais !? »

Il y a 20 minutes · **J'aime**

Amina Padan Arf ! Euh….. je c pa !!!! Mdr

Il y a 10 minutes · **J'aime**

Nadège tente l'incruste en douceur :

Nadège Prunot Bordel et moi !! j'veux d'la TEN-
DRESSE bordel !!!!
   Il y a 8 minutes · **J'aime**

Demande exaucée par Ingrid :

Ingrid Mentolin
Calinnnnnnnnnnnnnnn
Caaaaaaaaaalinnnnnnnnnnnnnnnnnnn
   Il y a 1 minute · **J'aime**

Ingrid cajole Nadège, l'index appuyé sur une
consonne (« calinnnnn ») ou une voyelle (« caaalin »).
Nadège crie sa « TENDRESSE » en majuscules.
Amina aime les onomatopées : « rhoo » quand elle est
attendrie, « argh » quand elle est gênée, « snif » quand
elle feint d'être triste et « pfff » quand elle trouve que
c'est n'importe quoi.

Nadège, Amina et Ingrid balancent toutes des « ;) »,
du « :) », du « mdr[1] », du « lol[1] », du « ptdr[1] » sans
retenue. Entre copines, on ricane « hehehe », on rie
fort « hahaha », on rigole « mega looool ! », mais surtout on s'aime. « ♥♥♥ ». Haut les cœurs.

Nadège mate la télé mais commence à avoir sommeil. Il est plus de 23 heures. Elle termine sa soupe
et un morceau de fromage, mais n'a pas trop envie
d'aller se coucher sans avoir auparavant senti un peu
de chaleur humaine.

Mais qui appeler ? Amina doit dormir à cette heure-
là. Ingrid est sur répondeur. Sa mère, oh non. Elle la
voit demain.

Elle envoie donc un message collectif impromptu
de paix et d'amour sur Facebook.

---

1. Mort De Rire ; « Laugh out Loud » : rire à gorge déployée ;
PéTé De Rire.

Nadège Prunot I love you all !!!!
29 octobre, à 23:16· **Commenter** · **J'aime**

Nadège parle comme une star qui vient de recevoir un oscar.

Sébastien et 11 autres personnes aiment ça.

> **Amina Padan** Nous aussi on t'aime Nadège !
> 29 octobre, à 23:17 · **J'aime**

> **Elsa Sartey** On t'adore chère Nadège :)
> 29 octobre, à 23:22 · **J'aime**

> **Ingrid Mentolin** ♥♥♥
> 29 octobre, à 23:42 · **J'aime**

> **Sébastien Vacquet** lov u too honeyyyyy
> 29 octobre, à 00:02 · **J'aime**

> **Laura Jélu** nous aussi on t'aime vieille saucisse !!!
> 30 octobre, à 08:03· **J'aime**
> …

Un cri d'amour et tout le monde rapplique.

Il y a quelques mois, une vidéo a fait le tour du Web. On y voit un grand brun aux cheveux longs qui se balade dans une rue animée de Sydney en brandissant une pancarte avec inscrit en gros : *FREE HUGS*[1].

Les passants le regardent intrigués. Une vieille femme finit par le serrer dans ses bras. Suivent de nombreuses et émouvantes scènes d'embrassades. Même les policiers rient. C'est fun. C'est beau. C'est touchant…

Grâce à Facebook, vous pouvez obtenir des « *free hugs* » à tout moment sans avoir à vous ridiculiser dans

---

1. Câlins gratuits.

la rue. Grâce à Facebook, on récolte ce que l'on « s'aime ». On se sculpte un « moi » avec des gens qui vous admirent, vous cajolent, vous encouragent en échange du même traitement. On ne se recadre pas, on ne polémique pas. On s'aime.

Narcisse 2.0

Tranquille avec son miroir tel le schtroumpf coquet à rajuster sa fleur sur le bonnet, Narcisse était autonome. Peinard, il avait sa source d'eau claire où il s'admirait jusqu'à tomber amoureux de son image puis dépérissait d'amour de lui-même pour laisser place à une fleur. Un narcisse.

L'eau claire de Narcisse 2.0, c'est les autres. Qui m'aime me suive ! Notre quotidien, nos images, nos humeurs doivent être validés par nos amis.

Laetitia n'avance que sous les projecteurs, même pour informer que ce samedi matin elle se réveille à 7 heures dans son studio rue Legendre. Étirements des bras, position étoile de mer. Saisie de son iPhone sous son oreiller. Elle rédige un statut pour Facebook :

Laetitia Lacombe J'avais juste envie de poster un truc pour montrer à tout le monde que je me lève à l'aube aujourd'hui. Voilà… Voilà.

Aujourd'hui, à 7:02 · **J'aime**· **Commenter**

Sur ses 648 amis, une poignée est réveillée et déjà sur Facebook. Encore dans le gaz, Claire est la première à réagir :

Claire Riquier On est 2 !!! Bisous !!!
7 avril, à 7:35 · **J'aime**

Puis Princesse Chloé :

Chloé Duteil Bisous les filles ! Bon week end (réveillée depuis 6 h)
7 avril, à 7:43 · **J'aime**

Éric ferme la marche :

Eric Latour LOL, et un de plus… Une grâce mat un samedi ? Pour quoi faire ! ++
7 avril, à 8:04 · **J'aime**

Ces bonnes ondes amicales lui donnent de l'entrain pour aller courir. Elle enfile un short, un T-shirt, des baskets et sort de chez elle. À jeun, y a pas mieux pour se booster et garder la ligne.

Elle met ses écouteurs et fait défiler la *playlist* de son iPhone. Rihanna : ça bouge pas mal. Avant de s'élancer, elle publie un statut sur son Facebook :

Laetitia Lacombe fait ses tours de piste à Monceau
Aujourd'hui, 8:52· **J'aime**· **Commenter**·

Un tour, deux tours. L'iPhone poche arrière, Laetitia court avec sa cour. Mais elle est partie trop vite. Au quatrième tour, ses foulées sont plus lourdes, sa respiration haletante. Elle jette l'éponge au cinquième tour et s'assoit sur un banc cinq minutes. Le temps de reprendre son souffle, elle se connecte pour voir si son public a réagi à son dernier statut.

Jeanne Rucelle J'adoooooore ta pêche ma chérie !
Aujourd'hui, 9:52 · **J'aime**

Laetitia est déçue. Elle s'attendait à plus de réactions. Ses flemmards d'amis ont dû se recoucher. Où sont les 647 autres ? Qu'en pensent-ils ? L'aiment-ils ? Trouvent-ils ça bien ? Beaucoup lisent les statuts mais ne commentent pas.

Laetitia se relève de son banc. Il est temps de rentrer, dans une heure, elle doit retrouver ses copines Chloé et Marion chez *Rose Bakery*. Un *must* pour les brunchs. Décrassage en coulisses, habillage et maquillage devant la glace de sa salle de bain, puis vingt-huit minutes de trajet jusqu'à la rue des Martyrs. Sur place, des gens attendent jusque dans la rue. Laetitia ne se décourage pas et file directement le long du couloir vers la petite salle du restaurant. Chloé et Marion lui font signe de la main. Laetitia les rejoint et les embrasse :

— Qu'est-ce qu'il y a comme peuple ! Heureusement que vous êtes arrivées plus tôt.

— Et encore, on est samedi, répond Chloé. Le dimanche, c'est la folie !

— Faut dire que l'endroit est génial, renchérit Marion.

Laetitia est tellement d'accord qu'elle le dit à tous ses contacts grâce à l'appli Lieux[1] de Facebook :

Laetitia Lacombe est à Rose Bakery Mmmmmmmm-mhhhhhhhh !!!!!!!!!!

Il y a une heure· **J'aime**· **Commenter**· **Identifier des amis**

Cinq personnes réagissent instantanément :

3 personnes aiment ça

---

1. Service de géolocalisation de Facebook qui permet aux membres de signaler à partir de leur smartphone leur présence et celle de leurs amis dans un lieu et de savoir qui est à proximité.

Ariane Crepin ça tombe bien j'ai faim ! ; –)
Il y a 6 minutes · **J'aime**

Clara Rocher Très bon choix. On a adoré. un seul souci. On a attendu une heure pour qu'on nous prenne la commande. J'espère que vous aurez plus de chance ! Grosses bises.
Il y a 8 minutes · **J'aime**

Silvia Hernandez Hello ma puce ! lâche-toi sur les œufs à la coque, ils dépotent !
Il y a 13 minutes · **J'aime**

Laetitia Lacombe
@ Ariane lol on ira quand tu viendras nous voir à paris
@ Silvia Merki ma puce ! On va les dévorer !
@ Clara gracias pour le conseil cousine !
Il y a 7 minutes · **J'aime**

— Hey les filles, il paraît qu'il faut goûter aux œufs à la coque, dit Laetitia à Marion et Chloé, encore plongées dans le menu.

Cinq minutes plus tard, les filles ont fait leur choix, mais personne ne vient prendre la commande. Laetitia repense au commentaire de Clara et va voir directement le serveur.

Quarante minutes plus tard, le garçon arrive les bras chargés : *carrot cake*, muffins, pancake banane, sirop d'érable, et œufs à la coque. Magnifique.

Marion, dont l'appareil digestif est directement branché sur les nerfs parasympathiques, n'en peut plus et se jette sur les pancakes.

— Hop ! hop ! hop ! l'arrête Laetitia. Y a une photo à faire avant de commencer. C'est trop beau !

Laetitia lève son iPhone, cadre les assiettes et clique à la santé de ses amis de Facebook.

— On en prend aussi une de nous, non ? demande Laetitia.

Sans attendre, elle quitte sa place, met sa tête entre celles de Marion et Chloé et tend son bras droit… qui n'est pas assez long. La photo est floue. Faut de l'aide. Laetitia hèle le serveur :

— Excusez-moi ! Vous pourriez nous prendre en photo s'il vous plaît ?

Amusé, le serveur obtempère et positionne l'appareil. *Cheese !* Laetitia relève un peu le menton et pose son bras droit sur l'épaule de Chloé. *Snapshot !* Résultat ? « Pas mal, pas mal… Je passe mieux que Marion », se dit Laetitia en récupérant son iPhone. *Clic !* Elle publie la photo sur Facebook.

Laetitia rentre chez elle un peu vannée. Elle s'assoit en tailleur devant sa table basse, ouvre Deezer[1] sur son MacBook et se met un morceau de musique qui l'envoie loin… Elle aime trop ça et partage son lien d'écoute sur Facebook avec en commentaire :

Laetitia Lacombe Ecoutée en boucle depuis 24 h… love it
The World at Large
Par : Modest Mouse

7 personnes aiment ça.

    Raphael Brundi Et bah on est 2, lol. De nuit, c'est encore mieux.
    Il y a 32 minutes · **J'aime**

    Laetitia Lacombe j'avoue, Raph, j'ai découvert le

---

1. Deezer est un service d'écoute de musique en ligne.

lien sur ton profil… Merci, j'aime vraiment beaucoup !
Il y a 22 minutes · **J'aime**

Emilien Ramos Aaaaaaah
Il y a 18 minutes · **J'aime**

Le commentaire de Raphaël se comprend. Il avait posté le même morceau il y a deux semaines et personne n'avait réagi. C'est comme ça, que voulez-vous… Raphaël n'est pas aussi populaire que Laetitia. Faut dire qu'il ne publie presque jamais rien sur son Facebook et s'entête à conserver Snoopy en guise de photo de profil.

Laetitia, elle, passe son temps à communiquer sur son mur. Elle change aussi sa photo de profil régulièrement et à chaque fois fait la Une du fil d'actualité pour quelques heures.

Sa photo actuelle est pourtant glamour. Elle est en robe de soirée debout à côté de son copain Ben en costard, coupe de champagne à la main. Ils assurent.

Harold Ferrera Vous êtes beaux ! On dirait les Kennedy !
4 mai, 21:56 · **J'aime** · **Signaler**
Chloé Duteil Mouais… je vous souhaite une meilleure fin !!!!!
4 mai, 21:58 · **J'aime** · **Signaler**
Laetitia Lacombe Merci !!!!!!!!
4 mai, 22:10 · **J'aime** · **Signaler**

Mais la photo date… Deux semaines… Il est temps de l'actualiser. Laetitia s'y met maintenant. Sa mère l'a photographiée samedi dernier sur la plage de Granville. Mer en fond, lumière douce, sable fin. Beau cliché.

Mais un poil sombre. Son bronzage ne ressort pas bien. Facile à corriger. *Clic* pour agrandir l'image, édition sur son logiciel de retouche. Laetitia zoome sur sa tête, ajuste le pourcentage d'exposition et gomme la fossette au coin de l'œil.

Le tri des images de son (Face)book est plus violent que le Botox sur les rides. Un *peep show* aux postures paramétrées. Laetitia donne ce que les autres veulent voir : un « moi » nouveau sans profondeur, replié sur ses pixels.

Laetitia poste le résultat de son travail et la nouvelle s'affiche sur son mur visible par tous ses amis :

Laetitia Lacombe a changé la photo de son profil.
Il y a une minute · **J'aime**· **Commenter**

Sa nouvelle photo d'identité normande reçoit l'accueil espéré :

> **Chloé Duteil** Ouuuuuh qu'elle est belle !!!!!
> 19 mai, à 16 :23 · **J'aime** · **Signaler**
> **Guylaine Nuria** belle gosse mon mimi ! tu es très en beauté.
> 19 mai, à 17:11 · **J'aime** · **Signaler**
> **Fouzia Aadnane** OMG je ne tai meme pas reconnue !!! comment tu vas ! quelles sont les news ! jvien de rentrer de London ! bak to work in Geneva ! tu es Magnificient babegirl !!! je tembrasse bien fort !
> 19 mai, à 17:31 · **J'aime** · **Signaler**
> **Emilie Zawicik** CaNoN Laetitiaaaaaaaahhh ; –))
> 19 mai, à 17:57 · J'aime · Signaler
> **Ludivine Lacombe** salu cousine tu c ke té tro bellllllllllle bon en mm ten c de famille lol bisssssssss-sou !!!!!!!!!!!!!!!!!
> 19 mai, à 18:38 · **J'aime** · **Signaler**
> **Rodolphe Trenin** ouah… et tout ça sans photo-shop……
> 19 mai, 18:51 · **J'aime** · **Signaler**

C'est vrai. Le cliché peut prêter à confusion. Sur sa dernière photo de profil, Laet posait avec Ben. Là, elle trône toute seule. Y aurait-il de l'eau dans le gaz dans son couple ? Les rumeurs vont vite. Laetitia doit clarifier.

Et pour que tout le monde comprenne bien, elle publie sur son mur un mot doux de son chéri avec comme préambule :

Juste en dessous, le mot doux en question :

Aujourd'hui, 15 h (…) Depuis notre rencontre, ma passion et mon amour pour toi n'ont de cesse de grandir et de s'intensifier, et il ne s'agit pas pour moi d'éphémère, réellement, tu es ma petite Etoile, mon Soleil, et ta lumière rayonnante m'éblouit et me réchauffe profondément.
Je t'aime, plus que tout je t'aime, My Precious.
(…)
Avec toute sa sincérité,
Ton Rominet

Combien d'amis ont lu ce message intime ? On ne sait pas, mais :

Bruno, son collègue d'open space, en est tout ému :

Bruno Varrière Joli message, en espérant qu'il t'en écrira très longtemps
Il y a 7 minutes · **J'aime**

Laetitia le rassure en temps réel :

Laetitia Lacombe Ui. Il m'en écrit 4 à 5 très beaux par jour + les SMS et appels quand on ne se voit pas. Hihi love love love
Il y a 8 minutes · **J'aime**

Pour éviter les rumeurs de ce style, Laetitia prépare sa prochaine photo de profil. Elle parcourt les clichés de son dernier week-end à Deauville et en retient un. Laet & Ben sur la plage. Sous le soleil. Seuls sur le sable. Les yeux dans l'eau. Au premier plan, Laet regarde le sable, cheveux aux vents, sac Vuitton sur l'épaule gauche et lunettes style D&G.

Cinq mètres derrière, pieds joints, mains dans les poches de son jean stretch, Ben scrute l'horizon en ajustant ses lunettes de soleil de la main gauche. Torse bombé, mâchoire carrée, il profite de la vue.

Un beau cliché.

À l'heure où Laetitia poste cette photo, deux vieux copains de promo, Marc et Mathias, se baladent sur son profil et découvrent sa page actualisée.

— Ouhlaah ! Comment elle se la pète la Laet avec son Ben. Viens voir ! dit Marc.

— Ah ouais, elle se gave ! Et lui se la joue vraiment trop avec son look à la Beckham, renchérit Mathias.

Ça casse, mais c'est *off*, ils n'écriront rien sur Facebook. Ses « vrais amis », eux, « aiment ça » et le clament :

> **Anna Ruiz** trop mignion tous les deux
> Il y a 10 minutes · **J'aime** · **Signaler**

> **Sophie Narquais** la photo est superbe rien à dire
> Il y a 15 minutes · **J'aime** · **Signaler**

Chloé les charrie en douceur :

> **Chloé Duteil** tu fras gaffe y'a david beckham derrière toi !
> Il y a une heure · **J'aime** · **Signaler**

Trop fière, Laetitia lui répond :

> **Laetitia Lacombe** Yeah c'est mon homme.
> Il y a une heure · **J'aime** · **Signaler**

Natalia a le dernier mot :

> **Natalia Zirvakian** Attention aux paparazzi :) Lol vous êtes superbes.
> Il y a deux heures · **J'aime** · **Signaler**

Laetitia personnalise ses réponses, prend bien soin de chacun. C'est important : ça flatte ses amis et les encourage à laisser d'autres commentaires. Natalia, Anna, Chloé… tous vont aussi vérifier plusieurs fois s'il y a eu des réactions à leurs commentaires… C'est sans fin.

Trois mois plus tard, Franck se balade sur cette ancienne photo de profil et se sent d'un petit commentaire impromptu.

Franck Millet très classe la tenue pour marcher sur la plage. La prochaine fois tu essayes le jogging, les baskets et le sac à dos : –) trop BG.
7 avril, à 17:43 · **J'aime** · **Signaler**

Du coup, Laetitia lui répond :

Laetitia Lacombe Looooooool ! C'est une tenue speciale pour la plage quand il fait 2° !!
7 avril, à 19:36 · **J'aime** · **Signaler**

Et en une de son fil d'actualité, ce commentaire de commentaire apparaît sous la mention :

Laetitia Lacombe commente sa propre photo de profil
Il y a une minute· **J'aime** · **Signaler**

Laetitia se regarde elle-même, regardée par les autres. Narcisse 2.0.

« Faut qu'on se voie ! »

Rien de plus chaleureux qu'une soirée avec son meilleur pote autour d'un petit verre de rouge et sa poignée d'olives vertes à refaire le monde jusqu'à ce que le bar ferme. Rien de plus simple aussi. Par e-mail, Facebook, SMS, MSN, téléphone… on peut se joindre à tout moment et se donner rendez-vous. En théorie…

D'après sa page Facebook, Béatrice a 32 ans, est conseillère clientèle « Entreprises » au Crédit fonchier, « aime » son mari et son petit Hugo. Elle aime aussi

Dr House, Barack Obama et Coca-Cola. Sa citation préférée : « J'ai décidé d'être heureuse, parce que c'est bon pour la santé. »

Sur les murs de Facebook, Béatrice est surtout la spécialiste des coucous et bisous à distance. Ses copines et elle « se catchent », s'interpellent de tous côtés. Béatrice à Laurine : « coucou miss un p'ti bonjour en passant pour savoir ce que tu deviens », Laurence à Béatrice : « Yoh Doudette !!! Des bisous en passant !!! » Béatrice à Astrid : « Eh, faut qu'on se vouaille. »

Bah, vouaillez-vous alors ! Sauf qu'en vrai, Astrid et Béatrice se voient de moins en moins… et jouent de plus en plus à « faut qu'on se voie ». Ce sont pourtant de bonnes copines d'enfance. Elles auraient plein de choses à se raconter.

Mais ce n'est pas si simple de se retrouver. Béatrice est overbookée, et Astrid n'est jamais là : commerciale chez Confinouga, elle multiplie les déplacements professionnels et les week-ends escapades. Et plus elle bouge, plus elle le raconte sur Facebook. Son mur est devenu son point d'ancrage, son *home sweet home*.

Béatrice suit les pérégrinations de sa copine par mur interposé :

Astrid Blanco WE en mode tranquille en Normandie
Il y a une heure· J'aime· Commenter

Vingt-deux minutes après, Béatrice réagit sur son mur :

> **Béatrice Nouri** Qu'est ce que tu fais en Normandie toi ?????? faut qu on se cale une date pour se voir. Bises
> Il y a 22 minutes · J'aime

Faut-il que Béatrice et Astrid se voient ou faut-il qu'elles se disent qu'il faut qu'elles se voient ? Béatrice propose régulièrement à Astrid de la voir sans fixer de date.

Astrid non plus.

> **Astrid Blanco** Une rapide et agréable immersion familiale avant 4 jours à Paris ! see you la miss bises
> Il y a 7 minutes via Facebook Mobile · **J'aime**

De retour à Toulouse, Astrid retourne la proposition à Béatrice.

> **Astrid Blanco** alors ? la miss… une dispo bientôt ?
> 20 Janvier, 10:45 · **J'aime**
> **Béatrice Nouri** La semaine du 9 février j ai pas hugo, il est chez Papy Mamy c est bon pour toi ? Bises
> 20 janvier, à 18:45 · **J'aime**

La semaine du 9 février, c'est dans trois semaines… C'est marrant, dans nos vies « overfacebookées », on n'est jamais dispo les jours à venir. D'office, on évacue la semaine en cours, puis celle d'après aussi. Hors de question pour Béatrice de passer pour la fille « sans ami » qui n'a pas de plans.

> **Astrid Blanco** je pars à Paris le 7… pour ne revenir que le 24 ou 25 sur Toulouse…
> 21 janvier, à 10:45 · **J'aime**

Alors reprenons leurs agendas. Ça repousse leurs retrouvailles à… la semaine du 27. Trois semaines plus tard, ni Astrid ni Béatrice n'ont proposé de dates…

Un mois plus tard, les deux copines se croisent à nouveau.

Béatrice Nouri Bisous en passant !
20 février· **J'aime**· **Commenter**

Astrid saisit l'occasion pour proposer une rencontre à Béatrice.

> **Astrid Blanco** dispo le week end du 20 mars ? bon. ça me fait enchainer en 10 jours en tuture : Toulouse-Normandie-Paris-Toulouse-Bordeaux-Toulouse… alors pourquoi ne pas finir à Montauban ? si si. je peux le faire et sinon je ne vais pas vous avoir avant trop longtemps !!
> ok pour vous ?
> Bisouuuuus
> 20 février· **J'aime**
> **Béatrice Nouri** yeees !!! ecoute je te dis ca rapidos, je vois les dates avec Arnaud car on a pas mal de we pris en mars et je te confirme rapidos !!! gros bisous mdame
> 20 février Via iPhone· **J'aime**

Béatrice ne répond pas sur sa disponibilité le weekend. Elle botte en touche et compense par de l'enthousiasme.

Chaleureuse à distance, Béatrice se rétracte dès qu'Astrid se rapproche de son agenda, par défaut verrouillé. Elle est toujours très occupée.

À quoi ? C'est simple. Aujourd'hui elle a passé 1 h 22 sur Facebook à gérer ses 317 amis, 15 mn à actualiser ses statuts, 56 mn à tchater sur MSN avec Sarah et Chantal, 13 fois 45 secondes à envoyer des textos, 1 h 07 à traiter ses mails. Soit un total de 3 h 49 derrière les écrans pour communiquer avec ses amis[1]. Comme elle ne peut pas voir tout le monde, elle passe son temps à s'excuser auprès d'eux.

---

1. Étude faite maison chronométrée par nos iPhones.

Ce n'est pas qu'un problème de disponibilité. Une semaine après, alors qu'elle passe rue Saint-Rome, Béatrice tombe nez à nez avec Stéphanie, une copine d'Astrid :

— Hey Béatrice !

— Salut Stéphanie... ça me fait trop plaisir !

— Alors ! Qu'est-ce que tu deviens ?

— Je bosse dans le coin. Et toi ?

— Moi je suis un cours de danse dans le quartier. T'as le temps pour un petit verre vite fait ?

— Tout de suite là ? D'habitude j'adore les imprévus mais là ça ne m'arrange pas trop.

— Tu veux mon tél ?

— J'ai pas de stylo là... T'es sur Facebook ?

— Oui.

— Ton nom de famille c'est quoi déjà ?

— Nouri... tu me trouveras à Béatrice Nouri.

— Ok, alors on se capte dessus car faut vraiment qu'on se voie !

« Faut qu'on se voie ! » Oui. Sûrement. Mais sur Facebook alors ! Et si ça doit être dehors, privilégions le resto à dix, ou le ciné, dans le noir. Le tête-à-tête prend des allures de calvaire. On s'est fait nos mamours par tchat, on s'est raconté notre quotidien formidable sur nos murs, que reste-t-il à nous dire dans le blanc des yeux ? Rien, si ce n'est ce qu'on ne dit pas sur Facebook, c'est-à-dire ce qui va mal. Et ça, personne n'en a envie.

Je viendrai « peut-être »

« Aimez avoir le choix », dit une pub BlackBerry. C'est bien vu. Aujourd'hui, tout le monde a peur de s'engager, de bloquer son agenda, de rater un meilleur plan. Tout le monde veut avoir le choix… jusqu'au dernier moment.

Mercredi prochain, vous préférerez aller à la soirée de votre cousin ou à un concert avec une copine ? Ce week-end, vous vous sentez de le débuter par un vernissage, un match de foot à la télé, un *showcase*, ou un ciné ?

Pour nous aider à ne pas choisir, Facebook a inventé le « je viendrai peut-être ».

Sandrine et sa colocataire veulent pendre la cré-maillère de leurs 60 mètres carrés rue de Maubeuge. Ensemble, elles ont calé leur agenda sur le vendredi 9 avril. C'est dans deux semaines et Sandrine n'a tou-jours pas prévenu ses amis. C'est le moment.

En deux minutes, elle crée un « événement » sur Facebook. Ça donne ça :

Événement :
    1 pendaison de crémaillère, 2 coloc

Type :
    Fête – Anniversaire
    Heure de début :
    vendredi 9 avril 2010, à 20:30
    Heure de fin :
    samedi 10 avril 2010, à 04:00

Description :
>
> Hello les amis !!
>
> Soirée Canailles rue Maubeuge pour la pendaison de crémaillère del new appart'
>
> Viendez nombreux, accompagnés & avec des bulles !!!
>
> Kisses !!!!
>
> Sandrine

En un clic, Sandrine envoie l'invitation à ses 169 amis. Chacun reçoit une notification par e-mail avec trois possibilités de réponse :

— Participera.
— Participera peut-être.
— Ne participera pas.

Une demi-heure après l'envoi, elle actualise sa page Facebook. Sur la colonne de gauche de la fiche événement, apparaît le nombre de personnes en attente de réponse : 169. Évidemment, tous ses amis ne se sont pas connectés dans la minute. Mais certains le sont. Ils sont au courant. Et ils se tâtent.

Vingt minutes plus tard, seules Sandrine et sa colocataire s'affichent comme participantes.

Participera (2)	**Afficher**
Participera peut-être (0)	**Afficher**
En attente de réponse (169)	**Afficher**
Ne participeront pas (0)	**Afficher**

Les invitations viennent à peine de partir et Sandrine redoute déjà la salle vide.

Pour évacuer son stress, elle part vider le lave-vaisselle. Les verres et assiettes rangés, elle se rassoit devant son écran et vérifie si le désert s'est peuplé. Les réponses commencent à venir, mais pas celles que Sandrine voudrait.

Participera (2)	**Afficher**
Participera peut-être (13)	**Afficher**
En attente de réponse (120)	**Afficher**
Ne participeront pas (36)	**Afficher**

À noter, l'apparition des premiers « peut-être ». Un de ces indécis laisse un commentaire.

José Bernetti quelle super belle nouvelle ! je vais sans doute essayer de passer ! je t'embrasse !
9 avril, à 12 :10· **J'aime**· **Commenter**

Mais Sandrine est plus préoccupée par ceux qui ne participeront pas et clique sur le lien « Afficher » à côté de « Ne participeront pas » pour identifier les absents. Ils ont tous un alibi béton. Sa cousine Rosa vit à Cascais avec son mari portugais : Je serais avec vous em pensamento ! Sa copine Laure en Espagne : coucou ma sandrine suis à Seville jusqu'au mercredi 29… seras tu encore parisienne ? ça serait cool de se voir ! des bisous. Ou encore Pascal, visiblement content de dire qu'il travaille à New York : Merci pour l'invit mais ça fait loin…

Sympathiques ces cartes postales sur le mur de la soirée, mais elles plombent l'ambiance. Laure, Pascal et Rosa auraient pu écrire en privé à Sandrine, mais préfèrent l'exposer publiquement sur le mur de l'événement.

À ce stade, bien calée sur sa chaise, Sandrine ne peut pas faire grand-chose, sauf cliquer sur *refresh* de sa page de l'événement. Et elle y va. Plusieurs fois dans la soirée. Le lendemain matin dans le métro. À midi au resto. Dès qu'elle a une seconde, elle prend son iPhone et « *refresh* ». C'est devenu compulsif.

J–7, sept personnes ont dit « Oui ». Mais, beaucoup n'ont pas encore répondu. Surtout, quarante-cinq invités ont annoncé qu'ils viendront « peut-être ».

Participera (7)	**Afficher**
Participera peut-être (45)	**Afficher**
En attente de réponse (83)	**Afficher**
Ne participeront pas (36)	**Afficher**

— Ce n'est pas compliqué de se décider pour une soirée quand même ! s'agace-t-elle en lisant les messages enjoués des « peut-être ».

Du calme, Sandrine. Comme en politique, ça va se jouer sur les indécis.

J–3, Sandrine fait son check-up des réponses. Ce n'est pas brillant.

Participera (10)	**Afficher**
Participera peut-être (49)	**Afficher**
En attente de réponse (68)	**Afficher**
Ne participeront pas (44)	**Afficher**

Elle referme son portable d'un coup sec.

À J–1, les « peut-être » s'accumulent

Participera (20)	**Afficher**
Participera peut-être (69)	**Afficher**
En attente de réponse (34)	**Afficher**
Ne participeront pas (48)	**Afficher**

Sandrine commence à paniquer. Comment éviter le four ? Elle appelle sa copine Jessica qui vient de répondre « Oui ».

— C'est cool que tu viennes ! Mais je sais pas trop qui y aura. Y en a plein qui n'ont pas répondu.

— Relax ! C'est comme ça maintenant. À la parisienne, les gens ne répondent même plus.

— Tu crois qu'il faut que je les relance ?

— Surtout pas, tu vas les braquer !

Sandrine ne peut pas rester comme ça les bras croisés. Au moins s'assurer la présence des têtes d'affiche : Clémence et Cathy. Marrantes, célibataires et alcooliques, ces deux copines sont estampillées « cool » par les autres et font venir les mecs.

Clémence n'a pas répondu et Cathy a répondu « peut-être ». Elle tente de joindre Clémence, mais bute sur son répondeur. Zen, restons zen… Elle respire bien fort et enchaîne sur Cathy :

— Salut Cathy ! Tu viens demain soir chez moi ?

— Euh… oui, bien sûr ma chérie !

— Pourquoi t'es en « maybe » sur Facebook alors ?

— Je sais plus… Ah si, j'ai promis à Fred que je passerai à sa soirée. Mais t'inquiète, je passerai chez toi aussi !

— Tu pourrais répondre que tu viens sur Facebook s'il te plaît ?

— Ok ! Pas de souci.

Une heure plus tard, Cathy n'a toujours rien modifié sur l'événement Facebook. Impossible de la relancer. Sandrine sent que la situation lui échappe et décide finalement de battre le rappel sur son mur, histoire de glaner quelques réponses supplémentaires.

Salut les amis,

Tous prêts pour la fête ! Certains ne m'ont pas répondu. Faites le ou sinon je vous raye de mes contacts Facebook !!!! lol ;)

Nan ! c juste pour savoir combien de sangliers et de poulardes je dois prévoir.

Ca va être mortel ! Hâte de vous voir !

Sandrine

Tout l'enjeu de cette relance est de paraître suffisamment jovial et détendu pour vendre sa soirée comme un bon plan. Surtout ne pas afficher la moindre pointe d'agacement, cela ferait fuir. Les Anglo-Saxons appellent ça le « *kind reminder*[1] ». C'est le premier message qu'on envoie quand une livraison a du retard. En général, le *reminder* suivant est plus cinglant. Mais c'est professionnel. En amitié, on ne peut forcer personne.

H–6, Sandrine clique une dernière fois sur sa page événement. Toujours autant de « peut-être ». Elle a prévu de leur faire des champignons farcis au chèvre, les gens adorent. Mais là, ça va être compliqué d'acheter « *peut-être* » les ingrédients…

Sur le chemin du Franprix, elle se fait des hypothèses sur les indécis en se remémorant la liste. Parmi les « peut-être », elle table sur une quarantaine de présents. Elle achète une dizaine de boîtes de St Môret plus quelques kilos de champignons de Paris qu'elle part préparer avec sa coloc' jusqu'à la soirée.

---

1. Rappel à l'ordre amical.

Rassurez-vous, malgré ces « peut-être », les amis de Sandrine étaient au rendez-vous. Jessica n'est pas venue alors qu'elle avait répondu « Oui », mais Clémence et Cathy sont passées, accompagnées d'amis très sympas. Une petite dizaine de « peut-être » étaient présents et tout le monde est resté tard. Certes, il y avait deux fois trop de champignons au chèvre, mais les dégâts des « peut-être » s'arrêtent là.

Cela sera peut-être différent le jour où ce nouveau code social, *a priori* opposé à la bienséance, sera devenu la norme. Dirons-nous bientôt à un ami qui nous invite à son mariage : « Félicitations ! Je viendrai peut-être » ?

Addict à l'urgence

Des poulets sans tête courent dans l'open space, parlent fort dans le haut-parleur et jonglent entre e-mails et appels. Scène d'hystérie collective ? Non, juste un après-midi normal chez NonStop Advertising. Dans cette agence, tout est urgent, tout est « pour hier ». Comme dit François, un des deux associés de la boîte, « c'est business critique ».

Mélanie a démarré chez NonStop en tant que *team leader affiliation* à 29 ans. Dès son arrivée, François l'a challengée en lui confiant le *monitoring* de plusieurs campagnes de pub.

Et depuis ? Depuis, elle n'arrête pas. Particulièrement cet après-midi où tout se télescope : demande de statut sur la campagne *Meetic, 24 heures gratuites,* souci sur les tags[1] de la campagne B2B[2] *Microloft Dynamics,* chute des *leads*[3] générés par la campagne *Renault Espace 25 TH...* Mélanie est comme une joueuse de ping-pong à qui trente joueurs enverraient des balles en même temps.

« Il est où, Jérémy ? » crie Mélanie en se dirigeant vers l'espace *lounge* où il traîne souvent. Sur le chemin, elle croise François :

— Faut absolument que je voie Jérémy pour les tags. Tu saurais pas où il est par hasard ?

— Non, mais tu tombes bien. Renault me demande un point sur les perfs pour la réu de demain. Tu peux me les envoyer ?

— Ok, pas de souci, bichon, je vois ça avec Alex, il va être ravi, ironise-t-elle.

Alex est le *performance analyst* de l'agence, le seul à pouvoir sortir le nombre de *leads* générés pour chaque campagne. Mélanie zappe Jérémy pour aller voir Alex. En la voyant débouler, celui-ci sort son bouclier :

— Stoooop ! Je suis plus là ! Je suis parti !

— Désolé mais là, on peut pas faire autrement. Il me faut les performances sur Renault.

— Ok. Vendredi.

— Non, maintenant. Je viens de voir François. Il les voit demain matin première heure.

— On travaille vraiment n'importe comment ici !

— Écoute, Alex, si t'es pas content, t'as qu'à en

---

1. Éléments de traçage sur les bannières publicitaires pour comptabiliser le nombre de clics des internautes.

2. *Business to Business* ou B to B : cible professionnelle.

3. *Leads :* terme marketing désignant la détection de signaux d'intérêt émis par des prospects.

parler à François mais moi, il me les faut pour ce soir.

Le ton, Mélanie. Le ton !

Pas le temps de mettre les formes, ni de traiter au cas par cas. Mélanie fait du « management hors-sol », c'est-à-dire hors contexte. Alex avait prévu de récupérer son fils avant 20 heures, il va encore falloir qu'il demande à la nounou de rester plus longtemps.

Mélanie, elle, est déjà sur la tâche d'après : appeler le client pour le rassurer sur les *deadlines*. Mais un appel sur son BlackBerry interrompt son flux. C'est Alban, son copain.

19 h 15 ! Beaucoup trop tôt. Elle décroche :

— Oui ?

— Je te dérange ?

— Non, si c'est rapide.

— Tu fais quoi ce soir ?

— Mais… t'as pas vu mon e-mail ? Je vais à la soirée de Noémie. Allez, je dois te laisser. Bisous. Bye.

Mélanie a raccroché avant qu'Alban ait pu répondre. Il n'est même plus surpris, il a l'habitude.

19 h 45. Dernier truc avant de partir : envoyer la propale[1] à Microloft pour demain. Elle appelle Tradetripler, la plateforme d'affiliation. Ça sonne. Pourvu qu'ils ne soient pas partis. Ça décroche.

— Ah ! cool. Salut les gars, c'est Mélanie ! On avait parlé d'un renouvellement du *Call-to-action*[2] pour booster les *leads*. C'est en place ?

_____

1. Proposition commerciale.

2. Moyens d'inciter les internautes à passer à l'action, tels que « Acheter », « S'inscrire », « Télécharger ».

— Bah, il y a des délais de répercussion, répond un commercial de la plateforme qui n'aurait jamais dû prendre l'appel.

— Pas de délai, faut sortir quelque chose. Le client vient de me relancer. T'as qu'à juste m'envoyer un statut et je regarderai ça ce soir.

20 heures. Sortie d'open space. Mélanie, encore sur l'excitation de la journée, appelle sa copine Océane en marchant vers la station Louise-Michel.

« Salut, ma petite Océane ! Je t'appelais vite fait pour voir si ça tient toujours pour demain soir (…) Cool ! Ça me fait trop plaisir ! Je rentre dans le métro là. Si ça coupe au pire on se voit demain. Sinon ça va toi ? »

Au bout du couloir ça coupe. Mélanie ouvre l'agenda de son BB[1] et confirme son rendez-vous avec Océane. Samedi 19h Océane. Métro Saint Paul. Avec ce rendez-vous, son week-end est « booké de chez booké ». Les deux week-ends après aussi. En semaine, ce n'est même pas la peine d'essayer.

Entre la sortie du métro et chez elle (quatre minutes à pied), Mélanie rappelle Océane :

— Oui pardon, c'est encore moi. J'ai oublié de te demander tout à l'heure. Si tu pouvais penser à m'apporter le dernier Houellebecq demain. (…) Bye (…) Bisous.

Dès qu'elle arrive chez elle, Mélanie ouvre la fenêtre de son salon, décachette sa quittance de loyer, fait le chèque pour son proprio, et allume son PC. Elle se logue ensuite sur Facebook pour féliciter sa copine Ariane qui vient d'accoucher :

---

1. C'est ainsi que Mélanie appelle son BlackBerry.

Mélanie Chireau Mignon tout plein, plein de bisouuuuus à vous 3 !
Aujourd'hui, à 21h02 · **J'aime**

Au même moment, Noémie lui envoie un coucou sur Gtalk. Mélanie répond direct : coucou alors ? y aura du people à ta soirée ? Cinq secondes. Dix secondes. Noémie n'est pas assez réactive. Mélanie abrège : faut que je te laisse… plein de trucs sur le feu. biz

Qu'a-t-elle sur le feu déjà ? Mise à jour de sa « to do-list » intérieure. « Ah oui, faut que je synchronise mon portable de boulot avec mon ordi perso. »

Pendant le *process*, Mélanie rechecke son agenda. « C'est vrai ! Faut que je confirme Violeta pour demain aprèm. Elle est toujours ok, mais finit toujours par zapper », se dit-elle à voix haute en faisant des ronds dans son salon. En regagnant la cuisine, Mélanie pianote son texto : toujours ok pour demain ?

Au menu ce soir : brocolis au cuiso vapeur. « Le cuiso, c'est court ou c'est long ? » se demande-t-elle en tournant la boîte dans tous les sens. Quinze minutes. Le temps de faire le repassage et d'appeler sa mère en mode haut-parleur. Mélanie déploie la planche, branche le fer et repasse en frôlant son iPhone. Elle a besoin de la voiture le week-end du 22, mais sa mère démarre sur un autre sujet :

— Ah, tu tombes bien ! Je n'arrive pas à ouvrir les photos de ton e-mail. Tu peux m'expliquer s'il te plaît ?

— OK, maman, je vais regarder…

Soupir de Mélanie qui prend sur elle et pose son fer direction l'ordinateur pour guider sa mère pas à pas.

— Ah maman ! J'avais oublié. Je ne peux pas aller

sur mon mail car je suis en train de synchroniser mes mails pro et perso.

— Qu'est-ce tu me racontes ?

Mélanie tente d'expliquer à sa mère la manip pour ouvrir les photos, mais par téléphone ça coince.

— Tu le fais exprès maman ou quoi ?

— Mais non, je t'assure ! Je clique droit sur la souris et ça ne marche pas. Tu peux me rappeler plus tard quand tu pourras te connecter à ton e-mail ?

— Je te promets rien maman, j'ai un milliard de trucs à faire. Sinon, est-ce que tu pourrais me prêter la voiture pour le week-end du 22 ?

— Euh… faut que je voie… j'ai un carton de vêtements dans le coffre à déposer chez Emmaüs et faut que je récupère un meuble à la brocante du quartier.

— OK, maman, mais tu ne peux pas caler tout ça avant le 22 ?

— Faut que je m'organise. J'ai une vie, tu sais moi aussi.

— OK. Mais tiens-moi au courant très vite car sinon faut que je trouve un plan B.

— Je t'embrasse…

— Ça marche.

Ting ! Les brocolis sont cuits. Mélanie s'assoit devant son assiette. Elle se pose… Mais son portable vibre à la troisième bouchée. C'est Noémie qui la relance pour sa soirée.

T'arrives là ? Qu'est ce que tu fous ? :)). Je compte sur toi. Hein ? XXXX.

Waouh, déjà 22 heures ! Mélanie enfile une jupe noire. Ça ne va pas. Non. Plutôt le petit top bleu. Ça ne va pas non plus. Elle se décide pour la robe rouge. Devant la glace, elle répond à Noémie qu'elle sera à la bourre et agite ses sourcils au mascara « Noir glamour » « effet faux cils Volum'Express ».

22 h 30. Mélanie part à l'heure où elle devait arriver. Dans les couloirs du métro, elle court, sans raison, sans bruit de rame à l'horizon. Lancée sur le tapis roulant de Châtelet, elle distribue les « pardon » pour se dégager la voie.

Sur son strapontin, elle envoie un texto à Noémie : ton code n'a pas changé ? Deux minutes, trois minutes. Toujours pas de réponse. Ah ces gens qui ne mettent pas leur code dans le mail collectif…

Cinq minutes plus tard, Mélanie rappelle Noémie qui répond d'une voix guillerette :

— Alors ma puce, t'es où ?

— J'arrive, c'est quoi ton code déjà ?

— 73A22, je te l'envoie par SMS.

— Merci toi ! Sinon t'as besoin que j'apporte un truc ?

— Non t'embête pas, y a tout ce qui faut.

Station Place d'Italie, sortie Auguste Blanqui. En montant les marches, Mélanie voit qu'Alban, son mec, est en ligne sur BBM[1]. D'un doigt, elle lui pianote :

Juste un petit coucou avant d'arriver à la soirée de Noémie ! Biz !

Mais Alban ne répond pas du tac au tac. Mélanie marche rue des Cinq-Diamants en jetant des coups d'œil réguliers à son écran. Au bout d'une minute, elle le relance : t'es pas là ? Non il n'est pas là. Ça l'agace, mais bon, elle est arrivée devant le numéro 37. Mélanie ouvre le SMS de Noémie. 73A22. Elle

---

1. BlackBerry Messenger.

pousse la grille et entend déjà la musique au fond de la cour. Escalier B. Troisième étage. La porte de l'appart est déjà entrouverte. Une grande gigue mal rasée l'accueille en mimant le maître d'hôtel : « Par ici, mademoiselle. » Mélanie remercie la gigue et s'avance vers la chambre pour déposer son manteau et son sac. Après une chaude accolade à Noémie, elle zappe de petit groupe en petit groupe. Quelques verres de ti-punch pour se chauffer. Un peu de danse sur la piste pour se défouler. Un peu d'air près de la fenêtre pour fumer.

Un certain Augusto l'accoste avec une bouteille de champagne :

— Je vous sers un verre ?

— Ça ne se refuse pas !

— Sinon, vous faites quoi dans la vie ?

— Et vous, monsieur ?

Augusto commence à la baratiner sur son boulot de chef de projet dans l'environnement.

— Je bosse sur des projets HQE et leurs financements potentiels.

— C'est quoi HQE ?

— Ah pardon ! Haute qualité environnementale. C'est un label développement durable.

— Ah ouais, ça a du sens ! répond-elle machinalement, en tripotant son BB.

Augusto part dans un monologue sur l'importance des nouvelles normes environnementales. Mélanie a décroché.

— Ouh ouh !? t'es là ? lui demande Augusto.

— Oui bien sûr, je t'écoute.

Pas sûr. Ses yeux tournent ailleurs sans se fixer. Surtout qu'à côté, un gars fait marrer la galerie avec ses galères de stage en kitesurf.

Mélanie se déporte vers ce groupe et s'incruste dans la discussion : « Ouais, t'as trop raison ! J'ai un pote à qui il est arrivé la même chose. » Sans attendre la suite, elle les quitte car elle adore le morceau qui passe. Au milieu de la piste, elle danse et crie « À fond ! » en levant sa coupe. Mais ça ne rebondit pas. Quelques ti-punchs plus tard, la tête lui tourne, elle rejoint sa copine Julie qui clope à la fenêtre :

— On s'emmerde un peu là non ? On se casse ?

— Si tu veux, pour aller où ?

— J'ai un back-up plan chez Fabien. Faut juste que je checke auprès de Natalia qui est déjà là-bas.

Mélanie écrit un SMS à Natalia :
Contrôle de position ma biche.
Réponse immédiate :
C'est le feu ici ! ramène-toi !!!!!!!!
Mélanie et Julie vont chercher leurs manteaux. Elles tentent une sortie discrète mais Noémie les intercepte dans l'entrée :

— Vous partez déjà ?

— Désolée, on doit vraiment y aller, répond Mélanie.

Elle l'embrasse puis la tient par les épaules :

— Oh ma chérie, je t'adore trop, on se capte très vite.

Dehors, il fait très froid et à une heure du mat un vendredi soir à la Butte-aux-Cailles, tous les taxis sont pris.

Elles descendent l'avenue des Gobelins pour s'avancer. Arrivées au niveau de la place Monge, elles s'arrêtent car Julie a mal aux pieds avec ses talons.

Elles finissent par en intercepter un qui les dépose chez Fabien un peu avant 2 heures.

Sur place, ambiance fin de soirée. Un petit comité se trémousse sur de l'électro et quelques clampins fument des joints en discutant. Parmi eux, Matthieu, un ami de la fac que Mélanie croise de temps en temps, s'approche d'elle et lui fait la bise :

— Ça va, toi, en ce moment ?

— Ouais, ouais la forme ! Et pourtant je n'arrête pas.

— T'arrêtes pas de faire quoi ?

— Bah, plein de choses… en ce moment, je mets en place des campagnes d'affiliation.

— Ah ! Et ça consiste en quoi ?

— Euh… c'est un peu long à t'expliquer. Je t'en parlerai une autre fois mais là, faut que j'y aille car demain je prends la navette de 7 h 30 pour Toulouse.

6 h 30 au *Take and fly* du terminal 2E de Roissy, Mélanie siffle son Minute Maid debout face à une table de bar chromée et donne son go par mail au 19ᵉ *Call-To-Action* de la campagne Microloft.

À l'embarquement, elle passe devant tout le monde grâce à sa carte *Speedy Boarding*. Assise au premier rang côté hublot, elle écrit un message sur le mur Facebook de Noémie :

Mélanie Chireau Merci pour ta soirée, c'était juste trop cool. Kiss.

Il y a deux minutes, via BlackBerry · **J'aime**· **Commenter**

En passant, le steward lui demande :

— Vous pouvez couper votre portable s'il vous plaît ?

— Oui, oui, je le bascule en mode avion.

Cette fois-ci c'est sûr, pendant une heure, à 900 km/h, Mélanie va se poser.

Armes de distraction massive

Guillaume et Loïc, 37 ans, deux amis d'enfance qui ne sont jamais perdus de vue. Avant l'apparition des téléphones portables, ils se donnaient rendez-vous par répondeurs interposés et se voyaient souvent. Maintenant, ils ont du mal à accorder leurs agendas. Et quand ils y parviennent, ne résistent pas à la tentation du SMS d'annulation de dernière minute.

Mais cette fois-ci, c'est calé, confirmé, acté : ils déjeunent bien ensemble, et c'est aujourd'hui. Mais Guillaume est arrivé en avance et attend son ami à la brasserie Jean Bart en sirotant un demi. Son portable vibre dans sa main : Loïc. Guillaume bougonne en décrochant :

— Ne me dis pas que tu m'annules ?

— Non, non je suis là !

— T'es où ?

— J'entre dans la brasserie. Et toi, t'es où ?

— À l'étage, au fond à droite.

— Où ça ?

— Attends, je me lève. Tu me vois là ?

— Non… Ah si ! ça y est. Je te vois.

Loïc rejoint son ami à l'étage, l'embrasse, retire sa veste et pose son portable sur la table, tel un colt sur une table de poker, juste en face de celui de Guillaume. Un iPhone 3GS face à un BlackBerry Curve 8900 : deux armes de distraction massive.

Le duel est ouvert.

— T'as l'air en forme ! sourit Loïc.

— Ça va… Mais je galère dans ma recherche d'appart. J'ai regardé plein d'annonces. C'est hyper-cher.

— T'as donné ton préavis ?

— C'est ça le problème. Dans un mois je suis à la rue.

— C'est vrai que Paris, c'est la folie… Moi j'ai eu du bol, j'ai eu un bon plan par mon oncle…

Loïc est stoppé net par la sonnerie de son iPhone. Coup d'œil sur son écran. C'est Johanna, une fille de son cours de dessin qui lui plaît bien.

— Excuse-moi, mais je dois vraiment le prendre. Bouge pas, j'en ai juste pour deux minutes, dit Loïc en se levant.

On « doit » toujours prendre l'appel. Et on n'en a toujours que pour « deux minutes »… Loïc s'est mis dans un coin pour téléphoner. Guillaume se retrouve en tête à tête avec son BlackBerry.

Il vérifie ses SMS : nouveau message !… de Nestresso : Pour les fêtes de fin d'année, votre boutique à Paris ouvre ses portes les 13 et 20 décembre. Pas de quoi entamer une discussion enflammée pour tuer le temps… Guillaume décolle ses doigts de son Black-Berry et lève la tête pour observer ses voisins.

À sa gauche, une jolie brune, la quarantaine, tripote son portable et jette des regards autour d'elle comme si elle attendait quelqu'un.

À sa droite, un couple bobo. Chacun avec son

iPhone à faire défiler son écran tactile. Ils ne se regardent pas, se parlent peu. Le téléphone du mec vibre le premier. 1-0.

Il décroche :

— Ouais Olivier ? (…) Oui pas de souci (…) je t'envoie un brief demain ! (…) ok, ok. Je reviens vers toi.

Il raccroche :

— C'était Olivier mon n+1.

— Ah, ok. Au fait, il t'a répondu pour tes RTT ?

— Non, je n'ai toujours pas de visibilité sur mes vacances.

— Faudrait qu'il te réponde pour qu'on puisse caler l'Andalousie.

Petit bip de l'iPhone de la fille. 1-1. Balle au centre. Son pouce déroule le SMS et lui déclenche un petit sourire satisfait.

— C'était ton amant ?

— Non, t'inquiète, c'était juste un collègue qui veut me sauter.

— Ça me fait pas rire et ça me donne envie de vérifier.

— C'est bon ! si on peut même plus rigoler…

— Fais voir le texto alors pour qu'on rigole ensemble.

Sauvée par le gong : le BlackBerry du mec vibre à nouveau. Cette fois-ci, il se lève pour prendre l'appel. Sa copine a le temps d'effacer le texto litigieux.

Absorbé par la scène, Guillaume est surpris par l'arrivée du serveur :

— L'andouillette, c'est qui ?

— C'est moi ! dit Loïc qui revient juste à ce moment-là.

Loïc avance sa chaise et sert un verre de rouge à Guillaume :

— Ça y est, je suis à toi !

— On parlait de quoi déjà ?

— De ta recherche d'appart. D'ailleurs, si ça te dit, je libère le mien dans six mois. On va acheter avec Samira.

— Mais je t'ai dit tout à l'heure qu'il me restait qu'un mois de préavis !

— Ah oui, c'est vrai.

Petites notes de blues et vibrations sur la table. Cette fois, c'est le BlackBerry de Guillaume.

— C'est ma mère, je lui dis que je la rappellerai. Allô maman ?… oui… ah non je ne pourrai pas venir au baptême… Bah non, t'as qu'à leur dire que je dois travailler ce week-end… OK… Maman je suis en train de déjeuner, faut que je te laisse… Je t'embrasse. Bye.

Il repose son téléphone sur la table.

— Elle va bien au fait la mother ? demande Loïc.

— Ouais, ouais, mais elle me soûle pour que j'aille au baptême de ma nièce… Mais on s'en fout, parlons plutôt de votre projet, c'est une sacrée nouvelle, ça ! Vous comptez acheter où avec Samira ?

— On ne sait pas encore… on commence juste à prospecter. Et toi, pourquoi t'emménages pas avec Barbara ?

— Pour l'instant c'est elle qui ne veut pas. D'ailleurs, je ne sais pas trop comment le prendre…

L'iPhone de Loïc vibre. Il regarde l'écran.

— Décidément ! C'est mon père… Oh tant pis, il me laissera un message.

Loïc est bien urbain. Guillaume peut donc enchaîner :

— Qu'elle soit indépendante, je trouve ça super, mais en attendant je paye 800 euros de loyer et elle, 700. Sans compter les frais fixes, qu'on pourrait partager.

— Je t'ai connu plus romantique.

— Ça n'a rien à voir ! T'es bien obligé de prendre ça en compte. Regarde, toi, vous allez bien acheter avec Samira.

Loïc regarde dans le vide. Il repense à l'appel de son père. Quinze jours qu'il ne l'avait pas appelé. Et si c'était urgent ? Loïc a envie d'écouter son message, mais se retient.

— … mais tu ne m'écoutes pas là ! s'agace Guillaume.

— Si, si ! Je me disais juste que vous étiez un couple super-moderne, avec chacun son indépendance.

Loïc est sur le point d'enchaîner, mais son iPhone vibre. Il l'incline discrètement pour identifier l'expéditeur du SMS, Marco.

— Ah merde ! c'est important. Deux secondes. Je lui envoie juste un texto pour lui dire où on se retrouve ce soir.

Tandis que Loïc pianote, Guillaume range son BlackBerry dans sa veste, espérant être imité par son ami. Mais quand celui-ci relève la tête, il repose son iPhone à côté de son assiette, et reprend la discussion là où ils l'avaient laissée.

Fin du déjeuner sans encombre. Ça vibre dans la poche de Guillaume mais il ne le sent pas. Celui de Loïc émet deux « *ting !* ». À chaque fois, il détourne son regard, mais ne fait rien de plus. Un cessez-le-feu bancal qui durera jusqu'à l'addition. Les deux comparses payent et quittent le restaurant.

Ils n'ont pas fait deux mètres sur le trottoir que leurs portables sonnent quasiment en même temps. Les deux amis se regardent en souriant pour guetter l'approbation de l'autre, et répondent. Guillaume se met cinq mètres en retrait car Loïc parle fort. Arrivé à la station Rome, ce dernier fait signe à Guillaume qu'il prend le métro ici.

— Ne quitte pas deux secondes, dit Guillaume à son interlocuteur.

Il décolle son téléphone de l'oreille et s'approche de son ami.

— Tchao vieux ! À plus !

Loïc fait de même et embrasse Guillaume.

— Ouais, bye... On s'appelle !

Tous Fouché

« Ouh là, là, c'est du lourd ! Y a gros dossier, là ! » C'est généralement ce qu'on dit quand on tombe par hasard sur la photo d'un pote qui montre son cul sur Facebook. Une photo de votre postérieur peut nuire à votre postérité. C'est ce qu'on appelle une donnée personnelle. Et que font les serveurs d'Internet de votre paire de fesses ? Ils l'archivent. Longtemps, trop longtemps.

Tout seul chez lui, Nicolas repense à son ex. Comme ça, sans raison. Des images floues lui reviennent, mais il ne s'attarde pas. Il préfère la « *googler* ». « Googler » quelqu'un ? Enquêter sur une personne sur Google, en tapant son nom comme mot clé.

Désormais, tout le monde google tout le monde. C'est à travers ses « go(og)le[1] » qu'on voit les autres,

---

1. Du mot anglais *goggles*, qui veut dire lunettes de piscine.

même sous l'eau. C'est gratuit, c'est anonyme. Je me google pour voir si je suis célèbre. Je te gOOgle avec mes gros yeux pour voir qui tu es sans que tu le saches. Agathe Lisieux ne sait pas que Nico la google huit ans après leur rupture.

Nico tape le nom de son ex et clique sur « Recherche Google ». La page se recharge. Une dizaine de liens exhument « Agathe Lisieux » : un lien Facebook, un lien Copains d'avant, un lien Linked'in, un lien sur la généalogie des Lisieux et quelques liens étranges comme celui de l'association « Chiennes de garde ». Un beau panel sous la main.

Au XXe siècle, pour retrouver la trace d'Agathe, Nico aurait dû rechercher le numéro de téléphone fixe de ses parents dans les pages blanches d'un vieux bottin, faire sonner l'appareil en espérant qu'ils n'aient pas déménagé et parler dans le combiné :

— Oui, heu. Bonjour, madame. C'est Nicolas, je ne sais pas si vous vous souvenez ? Un ami de votre fille.

— Mais bien sûr que je me souviens, mon petit Nicolas ! Comment vas-tu ? aurait répondu la mère.

Au XXIe siècle, inutile de parler. En un clic de souris, Nico retrouve son ex et voit qu'elle a déménagé cinq fois depuis leur rupture : Abidjan, Bamako et Paris, dans trois arrondissements différents. Agathe, le genre de fille dynamique, toujours *sur le départ* et ravie de bouger. Plus elle bouge, plus on la retrouve. Ses sécrétions numériques la rendent visible, qu'elle le veuille ou non.

Nicolas commence par ses traces sur Facebook. Il n'a accès qu'à son profil restreint :

Informations générales
Date de naissance : 30 avril 1973
Sexe : Femme
Situation amoureuse : En couple
À la recherche de : Amitié
Ville actuelle : Paris

Coordonnées

Facebookfacebook.com/agathelisieux

Heureusement, Agathe n'a pas bloqué l'accès à ses photos de profil. Première image d'elle debout. Nico constate qu'elle est toujours aussi belle, elle a juste un peu forci. Il comprend mieux avec la photo suivante : un petit garçon souffle ses trois bougies à côté de sa grande sœur qui le regarde un peu jalouse. Pas de traces du père mais en trois clics, Nico a tout de même appris que son ex était parisienne, mariée et mère de deux enfants.

Il revient sur la page des résultats de sa recherche Google et déroule le lien Linked'in : tout son parcours professionnel soigneusement renseigné année par année s'affiche à l'écran. Elle a travaillé chez HSWC, Champs-Élysées, Paris 8e, puis comme consultante en microfinance en Côte-d'Ivoire et au Mali. Sa situation a été actualisée, il y a une semaine :

Agathe Lisieux
— 37 ans
— deux enfants
— En couple
— Chargée de Mission en microfinances chez Pluton finance après avoir traversé pas mal de grands groupes.

Projet :
— Visiter le monde avec mes enfants et mon conjoint.
— Ne jamais arrêter de découvrir et de me découvrir.

Les réseaux sociaux diffusent la version officielle d'Agathe. Celle qu'elle a choisie de publier pour assurer sa visibilité. Point d'ancrage virtuel pour fille en transit. Très active sur Facebook et Linked'in, elle tient elle-même ses réseaux au courant de ses déplacements et changements dans sa vie. Dès que ça bouge, l'algorithme de Google est alerté et remonte Facebook et Linked'in dans ses premiers liens.

Mais elle aurait sûrement préféré que certaines archives numériques ne remontent pas. Comme sa participation, il y a sept ans, au comité de rédaction de *Riposte* à l'époque où elle militait à la LCR[1]. Au boulot, on la charrie souvent sur ses saillies anticapitalistes de jeunesse. « C'est vrai qu'elle avait voté Besancenot en 2002 », se rappelle Nico qui poursuit sa piste et découvre un dernier lien surprenant :

Femmes à poigne : Agathe Lisieux, Jeanne Boltolsky, Pamela Fontana…
23 octobre 2003 Les mecs aussi sont des salopes.

Dans ce post, Agathe se lâche contre les mecs qui défendent l'égalité hommes/femmes à la tribune et restent machos à la maison. « J'espère que je n'étais pas visé », se demande Nico. Il la trouvait un peu « doctrinaire » et elle, qu'il virait « réac ». Google aussi a remarqué qu'Agathe pouvait avoir le sang chaud.

---

1. Ligue communiste révolutionnaire.

Qu'on le veuille ou non, on doit tous trimbaler nos casseroles numériques. Si Google ne suffit pas, 123 people prend le relais. Son algorithme est meilleur qu'Hercule Poirot. Myspace, adresses, vidéos, images, archives publiques, numéros de téléphone, tweets… il retrouve tout.

Enfin, presque tout. Nico aimerait bien voir à quoi ressemble son mec. Pour ça, il faut avoir Agathe en ami sur Facebook. Huit ans après leur rupture, ça lui fait bizarre : s'ils avaient voulu rester amis, ça serait déjà fait.

Mais la curiosité de Nico l'emporte. Il clique sur le profil d'Agathe, puis sur « Ajouter à mes amis ». Une fenêtre intitulée : « Envoyer une demande d'amitié à Agathe Lisieux ? » s'ouvre avec le message suivant :

Agathe Lisieux devra confirmer votre invitation. Veuillez n'envoyer cette invitation que si vous connaissez Agathe personnellement.

Oui, oui, il la connaît *personnellement* et d'ailleurs il accompagne son invitation d'un « message personnel » puisque Facebook le propose :

Salut Agathe,
Qu'est ce que tu deviens ? Je suis tombé par surprise sur ton profil dans les amis de Raphaël. Et je me demandais ce que tu devenais. T'es tjrs sur Paris ? Tu fais quoi de beau ?
Moi j'ai vécu au Brésil deux ans et je vis de nouveau à Paris dans le XIIIe. Sinon, je suis papa d'un petit Luca de quatre ans.
Au plaisir de te lire,
Nico

Nicolas lui demande ce qu'elle devient alors qu'il le sait déjà… La « demande en amitié » part ; trois jours après, il reçoit une notification par e-mail :

Agathe Lisieux a accepté votre demande d'ajout à ses amis. Jeu. 13 :58

Agathe Lisieux et **Nicolas Vernier** sont maintenant amis.

Il a alors accès à son profil complet et parcourt ses albums de voyage : « Thaïlande 2005 », « Cuba 2006 », « Marrakech 2007 » et « Île Maurice 2008 ». Les enfants, la mer turquoise, Agathe en bikini mais toujours pas de trace d'un éventuel compagnon. C'est louche. Divorcée ? Non, sinon elle n'aurait pas mis « En couple » sur son statut.

Sur une photo de l'album « Crémaillère », Agathe couve des yeux un mec souriant, plutôt petit. « Voilà, ça doit être lui ! » se dit Nicolas. Le commentaire de la photo laissé par une copine d'Agathe ne laisse aucun doute.

> **Clémentine Dacat** Que vous êtes beaux tous les deux !
> 27 novembre, 17 :19· **J'aime. Signaler**

Nicolas pointe sa souris sur le visage du mec, mais ne peut pas mettre de nom car il n'est pas tagué. Pas tagué[1] car pas « taggable » ! Il n'est pas sur Facebook.

Le lendemain soir, Pascal, son copain de fac, passe prendre l'apéro chez lui :

— Alors quoi de neuf, vieux ?

— Pas grand-chose. Toujours autant de taf. Ah si, j'ai retrouvé Agathe, mon ex, sur Facebook.

---

1. Possibilité de mettre une légende sur les personnes qui sont sur les photos sur Facebook.

— Ah oui ? Comme elle t'en avait fait baver, la Agathe ! Qu'est-ce qu'elle devient ? Elle est maquée ?

— Yes, mariée et deux gamins.

— Et tu le connais, le mec ?

— Non, c'est bizarre, elle n'a mis qu'une seule photo d'eux.

— Fais voir.

Assis sur le canapé, l'ordinateur sur les genoux de Nicolas, les deux compères regardent les photos d'Agathe :

— Wouah, pas mal ! Elle est toujours aussi mimi, s'emballe Pascal.

Nicolas ouvre la photo avec son mec :

— C'est lui, son mari. Il ne paie pas de mine, tu trouves pas ?

— Non, je trouve pas. Il a une bonne tête. Et ils ont l'air bien ensemble.

— T'es vraiment naïf toi ! Ça se voit trop qu'ils jouent la propagande du bonheur.

— C'est toi qui traques le malheur partout ! Tout le monde n'est pas comme toi à galérer dans son couple.

On dirait deux pipelettes allongées sur la plage qui commentent les ragots *people* en feuilletant *Voici*. Des petites recherches de scoops, des commentaires *off* qui transforment chacun de nous en voyeurs du Web. Sur Google, on vous juge. Même si rien n'apparaît sur vous. On dira alors de vous que vous êtes asocial, que vous ne faites rien d'intéressant.

Nico propose vite un rendez-vous à Agathe, qu'elle accepte aussitôt.

Le jour des retrouvailles in *real life*, il a autant

d'infos sur Agathe que Fouché[1] en avait eu sur Talleyrand. Cet ancien ministre de la Police générale tenait tout le monde avec ses fiches. Nicolas arrive avec un dossier qui servira de base à la conduite de l'entretien.

Quand Agathe entre dans le bar, il la repère de suite.

— Je suis là !

Nicolas se lève et lui fait la bise :

— T'as trouvé facilement ?

— Oui, sans problème. En plus je connais bien le coin. J'ai bossé juste derrière.

Nico ne rebondit pas ; c'est pour cette raison qu'il a proposé ce bar.

— Ça me fait trop plaisir de te revoir ! relance Nico.

— Moi aussi ! Après tant de temps… Tu n'as pas changé en fait ! Sauf le style… Ça te va pas mal, le look dandy. Un peu bobo mais pas mal.

— Merci. Toi aussi, je te reconnais bien.

Il ment avec talent : ses traits sont beaucoup plus tirés que sur Facebook.

— Sinon, tu bosses dans quoi maintenant ?

— Je suis consultant en systèmes d'informations chez Capcefini.

— Ah ouais ! Te connaissant, je ne te voyais pas là-dedans. Je t'imaginais plutôt sociologue ou un truc du style.

« C'est quoi cette histoire, elle ne m'a pas googlé avant de venir ? Ou alors elle a pris des cours de théâtre et Google n'est pas au courant », s'agace Nico.

---

1. Ministre de la Police générale de 1789 à 1810. Fouché fut l'un des hommes les plus puissants de l'Empire avec Talleyrand.

On n'avoue pas qu'on a googlé l'autre, mais on aimerait bien que l'autre nous ait googlé.

Nico lui retourne la question :

— Et toi, tu fais quoi de beau ?

— HSWC… les grands groupes… Travailler dans une petite structure… du sens… blablabla.

Nicolas feint d'écouter. Il sait déjà tout cela. Le portable d'Agathe sonne.

— Ah excuse-moi, c'est mon mari, dit Agathe en se levant pour poursuivre la conversation dehors.

Cinq minutes plus tard, elle revient et reprend :

— On en était où ? Ah oui ! Mon boulot en Afrique. Après deux ans à Abidjan, on a dû rentrer avec Paul, mon mari, car j'étais enceinte de Julie.

— T'as une fille ?

— Oui, Julie de cinq ans et un fils aussi : Titouan, trois ans.

Agathe lui montre quelques photos sur son iPhone.

— Wouah ! Ils sont mignons. Et le père ?

— Paul ? Je n'ai presque aucune photo de lui. Il est anti-Facebook. Il me soûle pour que je retire la seule photo de lui sur mon profil. Après, les gens vont croire qu'on est séparés alors qu'on est super-bien tous les deux.

— Il fait quoi dans la vie ?

— Il est peintre. Enfin, peintre en bâtiments. Et sculpteur à côté.

Le puzzle est complété, l'entretien terminé. Nico a ce qu'il voulait, mais Agathe ne l'a surpris sur rien.

Nous sommes tous devenus des agents des RG à fouiller les données des autres. C'est facile : tout ce que nous faisons sur le Web est conservé. Profitez-en !

71

Suffit de se servir sur les serveurs. Vous voulez effacer vos traces ? Impossible. Facebook et Google conservent tout même après votre mort. Facebook par idéologie : « La norme sociale a évolué », fredonne en boucle Zuckerberg. Google pour une raison plus surprenante : notre santé. En conservant des données de plus de six mois, Google estime en effet avoir la possibilité de prévoir avec succès la propagation de la prochaine épidémie type grippe porcine. « Le fait d'avoir ces données personnelles a beaucoup de valeur. Moins on gardera de traces comme celles-là, plus on aura de chances de tous mourir[1] », s'enthousiasme Larry Page, cofondateur de la marque.

Ouais… En attendant la prochaine pandémie, des versions antérieures de nous-mêmes refont surface et se mêlent à celles que nous cherchons à produire. Des identités éclatées, des portraits composites faits de propagande de soi et de déchets numériques non recyclés, qui nous mettent à nu, et pas forcément sous notre meilleur profil…

Y a pas d'appli pour ça

Adrien et son iPhone… Avec lui, il pourrait fumer, boire, être un Jedï[2] ou Mario Bross[3], mixer[4] comme

---

1. Sources *The Telegraph* et BBC, janvier 2009.
2. Appli PhoneSaber.
3. Appli iRwego.
4. Appli DJ Mixer 3.2 with iPhone scraching.

Daft Punk ou jouer du vuvuzela[1], parler comme Tom Cat[2] ou maigrir comme Kate Moss[3]. Y a des applis pour ça. Y a des applis pour tout !

Ce soir, il est invité à dîner chez son ami d'enfance Hugo et sa copine Clémence. Il enfile son blouson : clé, porte-cartes, iPhone. Il a tout. Il claque la porte le cœur léger. Tout est dans son couteau suisse numérique.

Hugo et Clémence viennent de déménager. Adrien n'a même pas pris soin de les rappeler pour noter leur nouvelle adresse : elle est dans sa messagerie Facebook : 21, rue Tandou. Rue Tandou… Rue Tandou… C'est où déjà ? Tout en marchant vers la borne Velib', le GPS intégré de l'appli Plans lui fournit une carte du quartier avec une petite aiguille rouge sur l'adresse. Un petit clic et la carte disparaît pour laisser place à une photo de l'immeuble d'Hugo et Clémence. Comme s'il y était.

Tiens, la rue a l'air très pentue. C'est vrai que du côté de l'avenue Jean-Jaurès, ça monte pas mal. Donc option métro plutôt que Velib'. L'appli Ratp Premium lui indique l'itinéraire optimal. Métro Laumière. Six stations. Vingt minutes de trajet porte à porte.

Assis sur un strapontin, Adrien clique sur l'appli Rue89 et profite des vingt minutes de trajet pour s'informer des dernières nouvelles du jour. En sortant de la station Laumière, il rebascule sur l'appli Plans et, l'œil rivé sur son écran, se dirige vers ses

_____

1. Appli Vuvuzela 2010.
2. Appli Talking Tom Cat.
3. Appli BMI Calculator.

amis… les mains vides. Pas dans les habitudes d'Adrien qui doit trouver au plus vite un cadeau quitte à arriver en retard. Pas de souci. Il tape « fleuriste » sur l'appli PagesJaunes et clique sur « Autour de moi ». L'iPhone rame un peu puis finit par le géolocaliser. Résultat : cinq fleuristes, dont un à 325 mètres de sa position et ouvert après 20 heures. Bien joué.

Les bras chargés d'un bonzaï, Adrien arrive devant l'immeuble à 20 h 59. Une minute d'avance. Adrien vient d'une famille de protestants strasbourgeois : pour lui, 21 heures, c'est 21 heures. Il tape le code, monte les marches et sonne pile à l'heure. Clémence lui ouvre.

— Ah salut ! Déjà là ? Viens, entre…

— Tiens ! c'est un bonzaï. C'est tout ce que j'ai trouvé dans le quartier.

— Merci, c'est hyper-gentil ! Suis-moi ! Hugo prépare des mojitos à la cuisine.

Adrien claque la bise à son ami en pleine action. L'iPhone posé sur le plan de travail à côté de la limonade, Hugo pile la glace et cisaille la menthe.

— Tu mets de la limonade ? demande Adrien surpris.

— Attends de goûter avant de râler.

La petite astuce, Hugo l'a chopée dans Marmiton[1], une appli de recettes de cuisine. Sur la fiche « Mojito », un certain Chachou suggère la limonade car elle « sucre juste ce qu'il faut et les bulles sont parfaites ! » Pour Chachou, c'est « nickel ! ». Pour Adrien, qui revient de Cuba, c'est un sacrilège.

---

1. N° 1 au Top 25 de l'App Store (sur 250 000 applications disponibles).

Hugo tend un verre à Clémence et Adrien et trinque avec eux.

— Bon, fais comme chez toi bichon. Installe-toi. Faut juste qu'on lance le poulet et on arrive.

Adrien se retrouve seul sur le canapé du salon à siroter son mojito. Hugo le hèle de la cuisine :

— Tu nous mettrais un peu de musique ?

— OK. Quoi ?

— J'ai ma zik sur l'iPhone, mais là j'en ai besoin pour la minuterie des pâtes. En attendant, mets-nous une radio sympa.

Adrien allume la chaîne et tombe sur un morceau d'enfer. Ça lui rappelle trop la soirée « Je hais la Saint-Valentin » de Sophie.

— J'adore cette chanson ! hurle Hugo de la cuisine. C'est quoi déjà ?

Adrien clique sur l'appli Shazam et dirige son iPhone vers l'enceinte. Sur l'écran, un éventail noir s'élargit au gré des vibrations. Morceau reconnu ! C'est… « Ring my bell » d'Anita Ward ! Le tube géant de disco.

— Alors, ça te dit rien ? relance Hugo

— Si, c'est « Ring my bell » d'Anita Ward, je crois.

— Exaaaaact ! *« Ring my beee-eee-eeell ! Ring my bell ! »*, chante Hugo en arrivant dans le salon son mojito à la main.

— Je ne l'ai pas trouvé tout seul.

— Shazam… Elle est mortelle, cette appli. Je l'ai aussi.

— Comme plein de gens… T'as quoi d'autre ?

— Bah les classiques : LeMonde, Rue89, Facebook. PagesJaunes. Allocine…

— Fais voir.

Hugo prend l'iPhone d'Adrien. Montre-moi tes applis et je te dirai qui tu es. Celles d'Adrien sont bien classées par rubrique. « Transports », « Actualités », « Utilitaires ». Rien qui dépasse. Pas une mise à jour en retard.

Adrien demande à voir celles de son ami. Hugo lui fait défiler ses pages d'applis. C'est tout de suite plus *funkie*. Adrien est comme un enfant dans un magasin de sucreries :

— Attends, arrête-toi ! Non. Reviens ! Oui. Celle-là, c'est quoi ?

— Ah, iPassion ? C'est une appli à la con qui mesure ta performance sexuelle. Mais bon, c'est tout en anglais.

— C'est dingue, ce truc ! Ils sont fous, ces Ricains, à vouloir tout évaluer. Tu l'as testée ?

— Bah non ! Tu me vois dire à Clémence : « Attends, chérie, je pose l'iPhone sur le pieu, ça y est ! Top départ, on y va… » ?

Mais Adrien n'écoute plus et bloque sur une appli avec une grosse chope de bière pleine à côté d'iPassion.

— C'est quoi celle là ?

— Easybière ! Tu la connais pas ?

— Non. Fais voir !

Démo en *live* d'Hugo. Un énorme bouton rouge occupe tout l'écran. Hugo appuie dessus. L'iPhone se remplit de liquide blond avec un bruit de bulles en fond sonore. Une belle mousse onctueuse. Un bon bruit pétillant de bulles qui se cognent dans un verre épais. Mmmhhhh ! L'écran rempli, Hugo incline l'iPhone vers sa bouche comme s'il se sifflait une pression. Jusqu'à la dernière goutte. Hugo s'essuie la bouche.

Adrien est plié de rire.

— Chuuuut ! c'est pas fini !

L'iPhone fait un bruit de rot caverneux.

— Ahaha ! Trop fort ! Attends, à mon tour ! lui dit Adrien en voulant lui prendre l'iPhone des mains.

— Hopopop ! Mets pas tes doigts sur l'écran. T'es crade !

— Oh ça va !

Hugo le lui prête, mais le colle de près pour éviter qu'il ne farfouille partout. Adrien boit sa bière. Le rot final le refait marrer.

— Ta bière, ça m'a donné envie de pisser ! Je reviens !

Aux toilettes, Adrien a ses manies. Il aime bien s'asseoir et lire tranquille une revue ou un bouquin. Mais chez Hugo, rien à disposition. Ni sur les murs ni par terre. Adrien sort son iPhone et se lit « La Blanche Neige », un petit poème d'Apollinaire qu'il a téléchargé gratuitement.

Quand il sort, Hugo lui plaque son iPhone devant la bouche.

— Vas-y ! Dis quelque chose.

— Heu, je sais pas moi... « Dis donc, tu viens plus aux soirées là ! », prononce Adrien en imitant la voix d'Omar du « SAV des Émissions ».

Une petite voix aiguë et accélérée du chat digital de l'appli *Tomcat* répète : « Dis donc, tu viens plus aux soirées là ! »

— Excellent ! s'exclame Adrien.

Ils en essayent plein d'autres. « Ta mère en string », « Mangez des pommes »... Clémence arrive dans le salon et voit les deux compères en plein concours de *bits*.

77

— Ah Clémence ! Tu tombes à pic ! Vas-y ! dis un truc !

— Qu'est-ce que tu veux que je dise ?

— N'importe quoi ! Ce qui te passe par la tête !

— Je sais pas.

— Plus fort !

— Ah, vous me soûleeez !

Le chat répète :

— Ah, vous me soûleeez !

Hugo et Adrien s'esclaffent. Pas Clémence.

— Désolée, mais ça me fait pas rire, votre truc.

— Fais voir le tien. Je suis sûr que toi aussi, t'as des trucs qui servent à rien, ironise Adrien.

— Bah vas-y ! Regarde si ça t'amuse.

Clémence lui tend son iPhone.

— Il est classico-classique, commente Adrien. Ah si, ça, c'est marrant. J'en étais sûr, t'as l'appli Miroir !

— Non, c'est pas marrant. C'est pourri. Ça ne marche pas !

— Moi aussi, j'ai téléchargé cette appli, s'enflamme Adrien. Je pensais être le seul boulet, bah non !...

Génération transparente

« Les gens ne sont pas seulement habitués à partager plus d'informations mais à le faire plus ouvertement et avec davantage de monde. La norme sociale a évolué avec le temps », déclarait Mark Zuckerberg en janvier 2010.

Quand Marion a annoncé à sa mère Marie qu'elle était enceinte, ça s'est passé comme ça :

— Allô maman ? J'ai une supernouvelle !

— Tu te maries !

— Non, je suis enceinte !

— Noooon ! C'est pas vrai ! Félicitations, ma chérie ! Je suis tellement heureuse pour toi !

C'était il y a quatre ans. Pour son deuxième enfant, la mère de Marion a eu le droit à une surprise supplémentaire. Une idée d'Ivan, le copain de Marion.

Un jeudi après-midi, Ivan et Marion sortent bras dessus bras dessous du cabinet du gynéco de la clinique Montsouris. Leur première échographie ! Ils s'arrêtent à la première brasserie en face du parc boire une coupe de champagne. La seule que Marion s'autorisera. Ils trinquent à leur futur petit bout, en se demandant si ça sera une fille ou un garçon.

— T'as prévenu qui pour l'instant ? lui demande Ivan.

— Juste mes parents et ma sœur.

— Pareil pour moi avec Véro en plus.

— C'est bon, on peut balancer l'info sur Facebook alors ?

— Yes !

Dès qu'ils arrivent à l'appart, Ivan profite que Marion soit au téléphone avec sa sœur dans la cuisine pour s'emparer de l'échographie et s'installer devant l'ordinateur du salon. Il sort la photo de l'embryon de son enveloppe bleue, la numérise, la recadre et éclaircit la légende : 245342, Lastruk Marion 35 F Clin Montsouris OBITRIM.

— Marion, viens voir !

Marion découvre le scan de son écho sur l'écran 17 pouces.

— Ooooh, trop mignon ! Mes copines vont halluciner ! J'imagine déjà la tête de Fanny.

— On la publie telle quelle sur ton profil ?

— Allez !… Non, attends ! Attends ! se reprend Marion. On pourrait pas juste ajouter une petite légende sympa au milieu ?

— Si, mais on écrit quoi : « Notre extraterrestre » ?

— Heu t'es moins drôle là ! Allez, laisse, je le fais.

Marion lui ôte la souris des mains et prend sa place. Au milieu de l'image, juste en dessous du fœtus, elle ajoute : mini Marion+Ivan, met un commentaire en dessous de l'image : « Il ressemble déjà à son père ;) » et publie.

L'échographie part dans le fil d'actualités de ses 359 amis, la bonne nouvelle se répand sur les serveurs, le fruit de ses entrailles est en ligne. Marion se pose sur le canapé devant *Docteur House* en caressant son ventre et attend les réactions.

Bip de réception d'e-mail sur l'ordi. Marion se relève pour voir et découvre un e-mail intitulé « Alessandro Rostro a commenté votre photo. »

Alessandro Rostro Che bella notizia !
21 octobre, à 16:45 · J'aime · Signaler

Marion sourit, tandis qu'Ivan s'approche :

— Mais c'est qui, lui ?

— Alessandro ? C'était mon client italien sur Rowenta. Ça me fait plaisir. On ne s'est pas donné de nouvelles depuis cinq mois.

Marion ne s'étend pas et passe au commentaire suivant, celui de sa copine Rachel :

> **Rachel Cosbi** Suis juste en train de me reveiller mais je crois rêver ! Trop canon ma cocotte, felicitations !!!!
> 21 octobre, à 17:25· **J'aime** · **Signaler**

Et ce n'est que le début. En trois jours, le mur de Marion est recouvert de « congrats !!! », d'« envie de pleurer », de « woooooow !!! ». Ses amis trouvent ça « trop exciting » ou « juste énooooorme !!!! ». 43 d'entre eux « aiment ça ». En fait, tous aiment ça.

Les proches comme sa sœur Gaëlle :

> **Gaelle Lastruck** Super je vais dire à Mamy que j'ai vu sa première photo.
> 24 octobre, à 21:23· **J'aime** · **Signaler**

Et les moins proches comme Félicien :

> **Félicien Meurteau** Et bien ça·fait longtemps que nous nous sommes pas vus et il s'en est passé des choses dans ta vie depuis… FÉlicitations, et au plaisir de te voir.
> 22 octobre, à 11:25· **J'aime** · **Signaler**

Sur les 66 commentaires, pas un n'est étonné de voir une échographie sur Facebook. C'est une naissance, pas le moment de polémiquer.

La seule fausse note, et encore *mezza voce*, arrive deux jours plus tard avec Nathan, un ami d'Ivan.

> **Nathan Volsky** Bel exemple de réalité augmentée. On peut le localiser facilement depuis son iphone ? Félicitations. Biz
> 26 octobre, à 17:33· **J'aime** · **Signaler**

Marion interpelle son mec :

— Y a Nathan qu'a laissé un commentaire avec sa petite pointe d'humour habituelle.

— Fais voir… (Ivan s'approche et découvre le message.) Ouais, bof, je trouve pas ça drôle.

Marion fait défiler les autres commentaires et tombe sur celui de Mathews, un ami américain qui lui demande carrément si elle prévoit un « live video on Facebook on D-Day ».

— C'est pas bête son idée ! rebondit Ivan. On pourrait peut-être prévoir un petit film le jour J, non ?

— Euh… en fait, je crois qu'il plaisantait, l'arrête Marion.

— Ah oui, t'as peut-être raison. Et ta mère elle aurait pu faire un commentaire quand même. Tu m'as pas dit qu'elle s'était créé un profil Facebook ?

— Si, si… je l'ai même dans mes amis. Elle m'a appelée hier aprèm pour me faire la morale.

— Sur quoi ?

— À ton avis ? Sur l'écho !

C'est vrai, dès qu'elle a vu l'échographie en ligne, sa mère l'a appelée, outrée. Elle l'a traitée d'inconsciente, d'irresponsable qui exhibe son bébé alors qu'il n'a rien demandé. Marion lui a rétorqué qu'elle faisait ce qu'elle voulait… et lui a raccroché au nez… Inutile d'essayer d'expliquer, sa mère ne comprend pas.

Baby Gaga

Facebook est devenu une crèche. Ses serveurs sont saturés de messages du style : « Une nouvelle dent pousse », ou encore « petite constipation aujourd'hui ». Ses murs sont tagués de bouilles de bébés. Sur leurs profils, les papas et les mamans mettent la photo de leur divin enfant.

Lubies de parents geeks ? Loin de là ! Selon une étude internationale[1], 74 % des bébés français sont présents sur Internet.

Louisa, fait partie de ces « e-bambins ». Ça a commencé le jour de sa naissance.

Judith Marville est l'heureuse maman de Louisa.
31 mars 2009, à 17:09, **J'aime Commenter**

Les amis de Judith l'ont immédiatement félicitée :

Sophie Nipet Quelle belle nouvelle !!!!!!!!!!!! C'est formidable !!!! Il faudra poster plein de photos bien sûr ! Grosses bises à vous !
31 mars 2009, à 19:43 · **J'aime**
Romain Core Elle est belle cette p'tite ! Vous avez bien bossé les jeunes… Welcome Louisa !! :)
31 mars 2009, à 18:24 · **J'aime**
Rebeca Niluno
AAAAAAAAAAAAAAAAAAAAAAAAH comme je suis heureuse pour vous !!!!!!! je vous embrasse très fort tous les 3 !!!!!
31 mars 2009, à 17:31 · **J'aime**

Depuis, Judith poste régulièrement des albums de photos de Louisa. On y voit papa et/ou maman avec bébé dans ses instants magiques : dodo, rire, biberon, pleurs, sourire, rire, biberon, dodo…

De l'échographie à ses premiers pas, Judith a tout photographié, tout relaté. Sur Facebook, ses 348 amis

---

1. Sources : AVG Study « Digital Birth : Welcome to the Online World ».

ont tout vu et tout lu. Ils n'ont même pas eu à se déplacer à la maternité. Elle a juste oublié de filmer la conception. Dommage. L'album ne montre pas non plus le départ de papa, parti avec une autre dame au bout d'un an.

Un an et demi après la naissance, Judith est donc, comme souvent, seule avec Louisa au jardin. À peine entrée dans l'espace jeu, la petite se précipite sur l'échelle du toboggan et grimpe. Sa mère dégaine son iPhone et enclenche la fonction vidéo [Rec] ! Comme un metteur en scène, elle donne des consignes à sa titoune : « Tu y vas ? Vas-y, Louisa ! Allez ! Vas-y ! »... « Le petit garçon y va et tu y vas après »... « A y est ! Tu peux lâcher. » Louisa glisse sur le toboggan. Judith continue à filmer et s'exclame à l'arrivée : « Ouiiiiiii ! Ouiiiiiiiiiiii ! » Coupez ! Judith s'agenouille près de sa fille et visionne la vidéo de cinquante secondes avec elle. Louisa comprend tout et sourit aux anges. Maman aurait bien voulu filmer ce sourire aussi.

Mais Louisa ne tient pas en place, et repart en courant. Judith la suit avec l'iPhone. Louisa remonte l'échelle du toboggan, mais en haut perd confiance, hésite à s'engager. Sa mère la pousse : « Allez, Loulou, allez viens, descends ! Oh non, pas la tête la première, c'est risqué ça ! » Louisa n'écoute pas et s'apprête à plonger la tête la première. Stop la vidéo ! Elle rattrape sa poupette à temps.

Deuxième séquence plus courte mais aussi dans la boîte. De son iPhone, Judith publie *illico* les deux films sur Facebook. Elle intitule le premier « La jungle du toboggan » et le second « Pas rassurée ».

La jungle du toboggan [HQ]
Durée : 0:19
10 octobre, à 16:52 via Facebook pour iPhone · J'aime
· Commenter · Partager

Pas rassurée [HQ]
Durée : 0:50
10 octobre, à 16:54 via Facebook pour iPhone · J'aime
· Commenter · Partager

Sur le chemin du retour, tandis que la poussette Maclaren déblaie les feuilles mortes et les passants, Judith découvre les commentaires de ses deux vidéos.

3 personnes aiment ça.

> **Olga Burd** Tu me l'envoie celle la ? J'adooooore !!!
> 10 octobre, 17:02 · **J'aime**
> **Alice Nortun** elle est mignonne à croquer biz
> 10 octobre, 17:10 · **J'aime**
> **Julien Pernet** Elle est prudente Elle a raison avec une mère comme toi qui n'a peur de rien ou presque
> 10 octobre 17:15. **J'aime**

À la maison, Judith tend à sa fille un verre de lait et un Choco BN pour le goûter, puis pose son PC sur la table du salon. Les mains pleines de chocolat, Louisa tape sur les touches et joue avec le clapet. Judith ressort l'iPhone et filme [Rec] !

« Non, pas l'ordi. C'est le travail de maman. Louisaaaah ! Retire ta main s'il te plaît ! » Louisa s'arrête… puis revient à la charge. « Mais dis donc, Loulou ! » La petite regarde l'objectif avec des yeux polissons et dit : « Gaga, ah gaga ! » en écrasant la touche Shift. La mère s'approche, la petite recule, titube un peu (elle marche depuis deux mois) et contourne la table basse dans un éclat de rire digne d'une pub pour Blédina.

[Rec] ! C'est dans la boîte. [Clic] La vidéo de la petite est postée sur son mur de Facebook avec comme titre :

C'est bon les interdits ! [HQ]
Durée : 0:42
10 octobre, à 17:32 via Facebook pour iPhone · J'aime · Commenter · Partager

Quinze minutes plus tard, Olga, une amie de Judith, mère d'un petit Mathis de 2 ans, a déjà ajouté un commentaire :

> **Olga Burd** Mais c'est une petit geekette notre Loulou adorée !
> 10 octobre, 17:48 · **J'aime**

C'est l'heure du dîner. Bien harnachée sur sa chaise bébé, Louisa déguste une savoureuse bouillie de légumes préparée au *babycook* par maman. Judith filme les trajets de la cuillère entre l'assiette et la bouche de sa petite. Louisa marque un temps d'arrêt. Sa mère supervise. « Tu n'en veux plus, Loulou ? Tu as terminé ? » Oui, Louisa a fini. Judith stoppe l'enregistrement et emmène sa fille au lit. Louisa ne proteste pas.

Judith poste le film du dîner sous le titre « Repas de la princesse » et dépose un bisou tendre sur son front. Elle diminue l'intensité de la lumière et tire doucement la porte. Rideau.

20 h 30. Avant de consulter les réactions de son cercle d'amis sur Facebook, Judith se prépare une infusion « Nuit tranquille ». La tisane infuse, elle se

pose sur son canapé, clope au bec et ordi sur les genoux et découvre le commentaire d'Olga sur le repas de sa fille.

Repas de la princesse ! [HQ]
Durée :0:37
10 octobre, à 17:42 via Facebook pour iPhone · J'aime·
Commenter · Partager

> **Olga Burd** J'adore ! Très méthodique et propre, une vrai petite fille coquine :)
> Mathis opère la cuillère, si on peut dire… plus violemment.
> 10 octobre, à 21:52 · **J'aime**
> **Judith Marville** C'est parce que tu n'as vu qu'une partie ! ; —)
> Tu as une vidéo de Mathis ?
> 10 octobre, à 21:55 · **J'aime**
> **Olga Burd** j'en ai plein mais je n'ai pas le temps de les trier…
> 10 octobre, à 22:20 · **J'aime**

Les deux jeunes mères aiment bien échanger sur leurs bambins comme si elles discutaient dans un salon de thé. Olga et Judith partagent. Les autres amis se lassent. Judith a déjà posté 163 vidéos et 348 photos de sa fille !

Elle voudrait tout mettre en ligne, tout immortaliser, dire à ses amis que ça a bel et bien existé. « Ce que la photographie reproduit à l'infini n'a lieu qu'une fois », disait Roland Barthes[1]. Mais Judith n'y croit pas. Ses doudous, ses rots, ses bottes rouges, faut les garder, les stocker, les *forwarder,* les immortaliser.

---

1. Roland Barthes, *La Chambre claire*, Gallimard, 1980.

Facebook est devenu le royaume de l'enfant roi. Toutes petites déjà, nos têtes blondes sont sur le devant de la scène, en films, en photos, en commentaires, en une des profils. Les grands y trouvent du sens. Les petits y sont à l'aise. Bienvenue dans un monde *baby gaga*.

Présumée oisive

Sophie, 36 ans, chef de pub pimpante était une valeur montante chez Wellcomm. Elle conciliait semaines de soixante heures et vie de famille avec Zoé, 5 ans, Romain, 8 ans, et Simon, 37 ans. Un travail d'équilibriste reposant sur une organisation millimétrée et une course permanente. Elle a terminé l'année sur les genoux. Son médecin traitant lui a conseillé de lever le pied.

Mais comment ralentir ? Sophie se demande si elle ne devrait pas passer au 4/5. Elle en parle à Simon, son mari.

— Bon ok, c'est globalement une bonne idée ton 4/5 mais on ne risque pas d'être un peu *just* financièrement ?

— J'ai fait une simulation sur Excel. Si on met tout dans la balance on ne serait pas si perdants que ça.

— Ah bon comment ça ?

— Regarde.

Sophie sort son BlackBerry, ouvre son doc « impacts4/5.xls » et lui montre l'écran.

— Sur la colonne de gauche, explique-t-elle, t'as les frais économisés : 90 euros la journée de nounou, 1 000 euros de baisse d'impôt, etc.

— Ok, mais sur la colonne de droite, ça te fait bien une perte nette de salaire de 20 %.

— Oui d'accord, mais j'aurai plus de temps à consacrer à nos pioupiou et ça, ça n'a pas de prix.

— Mais ça ne va pas te griller pour ta promo ?

— C'est le risque. Mais j'en ai parlé avec Isa. Ça ne l'a pas empêchée d'avoir une prime cette année.

Simon n'insiste pas. Il y voit aussi son avantage. Le mercredi, il n'aura plus à poser de RTT :

— Ok, tu fais comme tu le sens. Les deux me vont.

Sophie s'attendait à un soutien plus massif. Mais elle est décidée. Le lendemain, en fin de journée, elle se rend dans le bureau de Thierry, l'un des deux associés de la boîte. Son boss déroule ses e-mails tout en téléphonant mais lui fait signe d'entrer. Sophie s'assoit en face de lui et attend qu'il raccroche.

— Oui, tu voulais ? lui demande-t-il sans décoller les yeux de son écran.

— Je venais pour voir avec toi mon organisation de travail.

— Ah bon ? Y a un problème ? répond-il en relevant la tête.

— Non, non, pas de souci. C'est juste que ça devient compliqué pour moi de tout concilier. En fait, je me demandais s'il y avait pas moyen pour moi de passer au 4/5 comme Isabelle.

Thierry se redresse dans son fauteuil et la regarde droit dans les yeux.

— Là, Sophie, tu me surprends… On misait énormément sur toi, tu sais.

— Je sais, c'est très gentil mais j'ai longuement réfléchi avant de t'en parler.

— Ok, mais tous tes clients, tu vas pouvoir les suivre en quatre jours ?

— Tu ne verras pas la différence. Et s'il y a un problème, vous pourrez m'appeler.

— Bon, si c'est vraiment ce que tu veux, je ne m'y opposerai pas, j'espère juste que t'as conscience qu'on te fait une fleur.

Une fleur ? À partir de deux enfants, ce qui est le cas de Sophie, c'est une obligation sociale.

Un mois plus tard, Sophie est au 4/5 et court de tâche en tâche dans l'open space. Aujourd'hui, mardi midi, elle a mangé un sandwich en dix minutes devant son PC. L'après-midi elle n'arrête pas pour tout boucler avant le mercredi, sa journée off.

À 16 heures, *Conf call* sur la campagne « La joie est BMdoubleV ». Huit personnes sur le pont, branle-bas de casques. Thierry a pris le *lead* pour dérouler son PowerPoint. Sophie voit défiler les *slides* sur son écran. Ça traîne. Ses doigts tapotent nerveusement son portable comme pour accélérer la présentation. Dans dix minutes, faut qu'elle trace. Ça va être short. Réagir ! Elle met son combiné en mode *mute* (muet) pour joindre son mari de son portable.

— Oui, chéri, je suis sur une *conf call* qui déborde, tu ne pourrais pas t'échapper plus tôt ?

— Ah non, impossible, c'est le feu ici.

— Alors tu peux appeler la nounou pour lui dire que je serai à la bourre ?

— Prends plutôt l'action car je n'ai pas le temps. Faut que je te laisse. Bisous.

— Attends…

Le temps de son mec contre le sien. Il lui a sorti l'argument imparable « je n'ai pas le temps ». Le gagnant est celui qui le dégaine en premier.

La *conf call* dure encore quelques minutes puis Thierry conclut.

— Je crois qu'on a fait le tour. À moins que l'un d'entre vous veuille rebondir ?

— Non, non, Thierry, tout était très clair, dit Sophie.

— Ok, alors merci à tous. Dernier point pratique. On la cale quand la prochaine *conf call* ? Je vous propose le 22, à 16 heures.

Sophie regarde son Outlook. Le 22 ? C'est un mercredi. Mais elle ne dit rien, en espérant qu'un participant à temps plein ne soit pas dispo.

— Attends, je checke mes dispos, c'est bon pour moi, répond Stéphanie.

— Pour moi aussi, ajoute Alban son assistant.

— C'est noté, Thierry, annonce Michael le graphiste en pianotant sur son Nokia.

— Pour moi c'est bon, marmonne Sabine.

— Et toi, Sophie ?

— Non, je ne bosse pas le mercredi.

— T'es en RTT ?

— Non, au 4/5.

— Ah oui c'est vrai. Bon, le plus simple, c'est que je regarde vos dispos sur Outlook et je vous envoie une invit, conclut Thierry.

Fin de la *conf call* à 19 h 30 juste le temps d'envoyer quelques e-mails, d'activer le gestionnaire d'absence et Sophie rentre.

7 h 30, le lendemain, mercredi, Zoé et Romain sont réveillés. Petit déj, cartables, manteaux.

8 h 08. Ça fait déjà huit minutes qu'ils devraient être partis.

— Bon, Romain, tu te dépêches ? Ton père t'attend.

Elle embrasse les joues chaudes de ses deux amours au moment où Simon les pousse dans l'ascenseur. Quand elle referme la porte, la maison est incroyablement silencieuse. Sophie s'appuie contre la table de la cuisine et s'allume une cigarette. Face à elle, un Post-it sur le frigo :

— Orange pour le changement d'abonnement

— double des clés

— courses

— recommandé

Avant de s'y attaquer, elle préfère checker ses e-mails pro sur son BlackBerry afin de s'assurer qu'il n'y a pas de point bloquant sur les visuels envoyés hier. E-mail de Diane. C'est bon, elle a validé. « Yes », se dit Sophie. Elle *forwarde* tout de suite le « *Go* » à Michael (le graphiste) et lui donne les indications dans le corps du message.

Hello,
Comme tu peux voir, les visuels st validés (enfin !).
N'hésite pas à mappeler si moindre question mais norma-lement tout est dans le brief que je t'ai envoyé hier. Je te le remets en PJ[1].
S

Pour la PJ, elle doit prendre son PC dans le salon et se connecter. Deux manips, e-mail parti. Impec-cable. Elle en profite pour relire, corriger et valider

---

1. Pièce jointe.

la proposition d'accroche pour le jeu-concours Société Géniale que le rédacteur *free-lance* lui a envoyée ce matin. Demain matin est chargé. Ça sera fait.

10 h 15. La facture Orange ? Elle ne sait plus où elle l'a rangée. Jamais le temps de rien classer. Peut-être dans le tiroir du bureau.

10 h 28. Son portable sonne. Numéro masqué. Elle répond. On ne sait jamais, peut-être une urgence-boulot.

— Allô ?

— Salut So', t'es au boulot là ?

C'est Marta, une copine qui pense que si tu réponds, c'est que t'es dispo.

— Non, le mercredi, je suis à la maison maintenant.

— Ah oui, c'est vrai ! T'as la belle vie, toi…

— Sinon t'avais quelque chose de particulier à me dire ?

— Ouais, je suis tombée sur un SMS trop bizarre. Je te rappelle sur ton fixe si tu veux ?

— Euh non. Faut que j'aille faire des courses avant d'aller chercher Zoé à l'école. On se capte plus tard. Plein de bisous. Ciao…

12 heures. Sophie attend Romain et Zoé à la sortie de l'école. Sur le chemin du retour, elle passe chez le boucher acheter deux bavettes.

13 heures. Repas rapide avec les enfants : steack, pâtes, jus de viande.

15 h 30. Sophie dépose Romain chez l'orthoptiste pour sa séance de musculation des yeux. Le médecin a du retard, Zoé risque de rater son cours de danse. Sophie file avec sa fille.

16 heures. Dans le vestiaire du Centre chorégraphique Florence-Delhaie, Sophie aide sa fille à enfiler son tutu.

— Bisous, mon cœur, je file chercher ton frère.

16 h 30. Sophie récupère son fils chez l'orthoptiste et le dépose au judo, heureusement pas trop loin.

17 heures. Elle a juste le temps de faire un crochet par la pharmacie pour une recharge en Doliprane pour le crâne… avant de rechercher Zoé à la danse. Dans la queue, elle en profite pour rechecker sa messagerie pro sur son BlackBerry. E-mail de Mélina, la Dir'com de BMdoubleV ! Sophie ouvre le message : finalement, ils ne veulent pas des visuels ! Trop anxiogènes. Elle appelle tout de suite Michael.

— Allô, Michael ? Oui, il faut absolument que t'arrêtes tout sur BMdoubleV.

— Ah bon, mais j'ai déjà bossé une demi-journée dessus !

— Oui, c'est pour ça que je t'appelle. Ils ne veulent plus des visuels.

— Mais je reporte sur quoi alors ?

— Pour l'instant, mets une demi-journée sur BMdoubleV. Et vois avec Cédric, je crois qu'il a besoin d'un graphiste.

Sophie imagine déjà son plan d'action pour demain pour récupérer la demi-journée perdue. Le compte BMdoubleV est déjà déficitaire. Son pied s'agite, une bulle gastrique acide remonte dans son œsophage. Elle demande au pharmacien de lui mettre en plus une boîte de Spasfon.

17 h 30. Lorsqu'elle arrive à l'école de danse, Zoé est déjà rhabillée et l'attend dans les bras de la mère d'une copine.

17 h 47. Sur le trajet vers le dojo, *drinnng !* son portable sonne. Marta ! Elle l'avait zappée. Vraiment pas le moment. « Je ne suis pas sa *hotline* ! Elle me soûle ! » s'énerve Sophie à voix haute.

— Qui te soûle, maman ? demande Zoé.

— Non, non. Personne, mon cœur.

Sophie accélère, elle est en retard. Romain est posté dans la rue devant le dojo.

18 h 30. Trop tard pour le recommandé ! Sophie ramène ses enfants à la maison. Elle fait réciter sa poésie à Zoé et sa leçon d'histoire-géo à Romain.

Simon rentre du boulot à 19 h 30. « Salut tout le monde ! » Il embrasse les enfants puis vérifie le courrier.

— T'es pas allée chercher mon recommandé ?

— Non, pas eu le temps.

— La prochaine fois, si tu sens que tu n'y arriveras pas, appelle-moi et je m'en occuperai.

Sophie ne répond pas mais Simon insiste :

— Mais tu fais quoi de ta journée ?

— Tu veux un reporting peut-être ? Je n'ai pas arrêté de courir.

19 h 40. Sophie abrège leur échange et met le riz basmati à chauffer. Onze minutes de cuisson. Onze minutes pour aller étendre le linge. En passant, elle se prend le pied dans le tiroir qui traîne au milieu du couloir depuis une semaine. Elle s'accroupit pour le recoller. Simon regarde la scène :

— Tu ne devrais pas faire ça avec tes bottes, chérie, tu vas les abîmer.

Sophie l'ignore. Simon poursuit sa tournée de contremaître.

— N'oublie pas d'égoutter le riz aussi.

Sophie monte en pression, mais se canalise. Il en rajoute une dernière.

— Je repensais à ta journée... Personne ne te demande d'être Brie Van de Kamp[1]. Tu pourrais pas un peu déléguer ?

— À qui ?.... À toi ? T'es jamais là !

— Non mais Romain. Il est grand maintenant. (Simon se tourne vers son fils.) Hein, Romain, que tu pourrais aider ta mère ?

— Oui, papa !

20 h 15. Repas (maman). Bain (maman). Histoires (papa). 80 % des tâches ménagères sont accomplies par les femmes[2]. Ici on est à 70 %.

20 h 40. Les enfants dorment. Simon regarde *La Nouvelle Star*. Sophie prend sa sacoche et son *Psychologies* sur la table basse du salon et se dirige vers la chambre :

— Tu vas déjà au lit ? Il est même pas 9 heures !

— Si, si, je vais me coucher, je suis explosée.

20 h 58. Sophie s'enroule dans sa couette tout habillée. Elle se sent bien dans sa bulle et lit son

---

1. L'une des héroïnes de la série télévisée *Desperate Housewives*.

2. Étude de l'Institut national d'études démographiques (INED), novembre 2009.

doc sur « Les nouveaux comportements de la génération Y ».

C'est bon. Elle ne sera pas à côté de la plaque pour le brainstorming de demain matin. Elle peut démarrer le test de *Psychologies* :

« Quel rôle jouez-vous dans le film de votre vie ? Êtes-vous acteur, réalisateur, figurant, ou spectateur ? »

Elle bloque sur la question 5 :

« Qu'est-ce qui, pour vous, serait une vie réussie ?
• Le sentiment d'avoir exploité au mieux votre potentiel
• La réussite dans les domaines importants
• Un parcours sans accidents majeurs
• Pouvoir sortir des rails »

Elle coche : « Pouvoir sortir des rails. » Fin du test, elle commence à compter le nombre de carrés et de triangles quand Simon rentre dans la chambre.

— Tu fais quoi ?

— Un test… Qu'est-ce que tu veux ?

— Rien de spécial. Juste parler à ma nana…

Il tente de s'insinuer à l'intérieur de la couette.

— Mais arrête ! Ça fait de l'air ! J'ai froid !

— Je viens te réchauffer. Si tu veux, je te fais un petit massage.

Il étend son bras pour attraper la fiole verte d'huile d'amande douce sur la table de nuit.

— Écoute, je suis crevée… Mais reste là. J'aime bien t'avoir auprès de moi.

Elle se met contre lui.

— Ça m'inquiète que tu sois toujours fatiguée comme ça. Tu devrais peut-être aller voir quelqu'un.

— On verra ça demain, tu veux bien s'il te plaît ?

Grâce à nos iPhones et BlackBerries, le 4/5, c'est bosser cinq jours pour le prix de quatre. Le temps restant est pour la famille, pas pour la femme. Pour un cinquième de son temps, Sophie est passée de *working girl* à *desperate housewife*. Sa promotion est bloquée, sa charge de travail demeure, sa famille lui prend son temps libre. Une belle affaire !

Couple fréquence +

Le sexe, ce n'est pas qu'une partie de plaisir. C'est aussi devenu une performance obligatoire, un challenge quotidien mesurable et mesuré. Jouissance obligatoire. Le faire bien et beaucoup.

Allongé sur son lit, Sylvain fait défiler sur son iPad un article de *Marianne2* sur la chute du couple Kouchner-Ockrent. Alerte batterie sur son téléphone ! Il doit le recharger : sa copine Patricia risque de l'appeler après son cours de stretching. En cherchant à atteindre la prise, il fait tomber une pile de magazines : *Télérama, Les Inrocks, Nouvel Obs*, et *Questions de femmes* avec Vanessa Paradis qui le regarde de ses yeux verts troublants. Un titre l'interpelle : « Doper sa libido c'est possible ». Sylvain ouvre le dossier page 46 et tombe sur un questionnaire : « Testez votre libido[1] ! » où des réponses sont déjà cochées.

---

1. Test réalisé d'après l'enquête ANRS-Ined-Inserm sur la sexualité des Français, signée de Nathalie Bajos et Michel Bozon.

Cette année, combien de partenaire(s) sexuel(s) avez-vous eu(s) ?
a) Deux ou trois
b) Un
c) Plus de quatre
d) Zéro

Sylvain est soulagé, Patricia a coché « b) ».

Chaque mois, vous faites l'amour combien de fois ?
a) Neuf fois
b) Jamais
c) Quinze fois et plus
d) Trois fois

Patricia a coché « d) »… Trois fois ? Ça paraît bien peu à Sylvain qui tente de se remémorer les dernières fois qu'ils l'ont fait. Lundi ? Non, Pat' était en déplacement. Jeudi ? Il ne se souvient pas de l'avoir fait ce soir-là. Ah non… ! c'était le soir où ils avaient été voir *Le Nom des gens*. Ils s'étaient bien retrouvés sur ce film et le soir au lit aussi. C'était quand ça ? Sylvain regarde sur son iCalendar. « Sortie ciné » : le 23 ! Ça fait 20 jours !

Question suivante :

Quand vous faites l'amour combien de temps durent les préliminaires ?
a) Trois minutes
b) Quatorze minutes
c) Trente minutes et plus
d) Il n'y en a pas.

Réponse b)… Sylvain calcule le total des points de Patricia : 13. Pour les « entre 5 et 15 points », le diagnostic du magazine est sans appel :

Ce n'est pas le désert mais c'est la routine conjugale. Si vous êtes mariée, il est temps de passer ce test à votre époux afin de le réveiller. À moins d'en changer mais ça c'est une autre affaire !!

« La routine conjugale », « réveiller (…) votre époux »… Sylvain fait la moue. Il aimerait bien savoir comment font les autres après quatre ans de vie commune. Par exemple, Astrid et Danny qui sont venus dîner hier soir, ils ne doivent pas le faire beaucoup. Quoique… Astrid avec son petit air émoustillé… Enfin. Difficile de savoir. Sylvain ne parle pas de fréquence avec ses copains. Même pas avec Loïc, son meilleur ami. Ils discutent souvent de cul, certes, mais jamais de celui de Patricia.

Sylvain reprend le magazine. Le titre « Révélations sur la sexualité des Français » est prometteur. Mais le contenu décevant. Excepté deux chiffres : 65 % des Français pratiquent le cunnilingus et 55 % la fellation. Rien sur la fréquence.

L'article se termine sur les « 7 clés qui boostent la sexualité » :

Première clé : « Le sudocul ». Ho hisse la libido avec une grille de mots croisés où « chaton doit trouver le mot sexy sexo partout ». Sylvain a quelques petits picotements et lit la suite. « Le boost oriental » ? Une technique revigorante d'origine taoïste qui consiste à placer une bouillotte chaude sur le bas du ventre et les reins.

Autre technique plus réaliste : « Faire l'amour dans la nature » Le « + » : « Vous sentez la brise légère vous caresser les fesses ». L'amour sauvage, c'était au tout début de son couple. Un souvenir excellent chez Patricia à Marseille. Ils l'avaient fait dans la douche, au-dessus de la machine à laver, sur le tapis, entre deux portes, dans l'ascenseur, partout… Une semaine sans sortir de l'appart. C'était torride. C'était il y a quatre ans.

Sylvain remarque à droite un lien pour aller plus loin : IJustmadelove.com – ding ! – un SMS de Patricia s'affiche sur son iPhone : Je vais boire un pot avec Astrid. Je rentre dans une heure. Parfait, ça lui laisse un peu de temps pour voir ça.

Sylvain se lève, prend son iPad, se remet sur le lit et se connecte confortablement au site IjustMadeLove.com.

Au début, il est captivé. La promesse est forte : un reporting du sexe. La page d'accueil lui offre un beau planisphère Google Maps maculé de cercles statistiques des personnes qui ont déclaré l'avoir fait dans le monde.

Sur la droite de son écran, Sylvain note une rubrique actu « Ils viennent de faire l'amour » qui lui révèle que Yalandim vient de le faire dans la banlieue d'Amsterdam sur le lit. Il a laissé un commentaire de son ébat heureusement anonyme pour sa partenaire : « some red spots on the sheets ».

Sylvain pointe son curseur sur la France, zoome en région parisienne et clique au nord-ouest de Paris à 50 bornes de chez eux sur un marqueur rose et bleu (un homme avec une femme). Le 8 octobre à 15 h 10, jim24 (picto bleu) l'a fait avec une femme (picto rose) sur le canapé (picto canapé orange) rue

Martre à Clichy-la-Garenne. Plus près de chez lui, il y a deux heures, Wahou (picto bleu) s'est fait chevaucher (picto rose sur picto bleu) par une femme (picto rose), a ensuite a pris sa partenaire en levrette (picto bleu derrière picto rose), s'est fait sucer (picto rose à genoux devant picto bleu) et a terminé en missionnaire (pictos bleu et rose allongés, picto bleu au-dessus). Son commentaire : « trop bon ».

Tous ces gens qui déclarent le faire partout ne rassurent pas Sylvain, qui cherche toujours des réponses à ses questions de fréquence.

Action ! Patricia rentre dans trente minutes. Sur Google, il tape les mots clés « sexe », « fréquence » et « couple ». L'algorithme lui renvoie un article de Tasanté.com qui lui donne enfin les chiffres qu'il désirait :

« Les Français avouent faire l'amour deux à trois fois par semaine en moyenne (…) Les deux premières années d'une relation, ça commence par 13 rapports sexuels par mois, puis, après 5 ans de vie commune, ça descend à 9. »

Si Sylvain calcule bien, il devrait le faire à peu près dix fois par mois pour être dans la moyenne. Pour novembre, c'est raté. Les mois précédents aussi. Pour se rassurer, Sylvain se dit que les gens mentent dans ces sondages. En tout cas, lui, mentirait.

Peut-être que, sur les forums, les gens seront plus sincères. C'est anonyme. Sur Doctissimo.fr[1], il y a ce vieux *topic* qui pose LA question :

Selon vous, quelle est la bonne fréquence, en moyenne, pour les rapports sexuels dans un couple ?

---

1. Doctissimo.fr : portail dédié au bien-être et à la santé destiné au grand public.

Sylvain parcourt les premières réponses :

Penelopcruz44 4
Le tourbillon de la vieProfil : Doctinaute d'argent

posté le 26-07-2009 à 18:34coucou, ben pour nous c'est 2 à 3 fois par semaine... parfois plus ou moins ça dépend des périodes, de l'envie etc...biz

Cyber007Profil :
Doctinaute Hors Compétition

posté le 28-07-2009 à 18:34moi c'etait pareil que Penelopcruz44 ?4ça dépendait de nos envies ...mais moi j'ai dit 3 a 4

RuisselentRAS...
*Plus rien ne m'étonne*Profil : Doctinaute Hors Compétition

Posté le 28-07-2009 à 20:54marie333333333 a écrit :plus sérieusement, 3X/sem mais d'une bonne qualité !tout a fait d'accord :ange : ;)   ;)

OpoilProfil :
habitué

Posté le 26-07-2009 à 21:04Je pense que cela dépend de la période de la relation : les débuts sont toujours très prometteurs, voire plus d'une fois par jour, puis lorsqu'on vit ensemble, c'est un peu moins.Cela dépend également de plusieurs facteurs externes : la fatigue, le travail, le stress...Il vaut mieux la qualité à la quantité, on finit par se lasser.3 à 4 fois par semaine c'est une bonne moyenne pour moi— – – –
– – – – – – – – – – – – – – – – –
– – – – – – – – – – – – – – – – –
– – – – – – – – – – – – – – – –

« bien sur que je suis méchante, je n'ai jamais dit le contraire... mais toujours avec gentillesse ;) »

Louloubizou	Posté le 28-07-2009 à 21:15Ok mais la durée est un facteur non négligeable qui influence la fréquence !?si c'est juste « tirer un... p » en 15 min. c'est sur on peut faire ça x fois par jour . :D :)
Marie33333 ?3333	Posté le 28-07-2009 à 21:25C'est variable... mais tout le monde n'aime pas le sexe qui dure 2 heures
Louloubizou	Posté le 28-07-2009 à 21:43la dernière fois ça a duré effectivement 2 h au moins, avec je dirai 1 h 30 sans interruption, les draps étaient morts et il a fallu arrêter car la demoiselle avait vraiment le feu et cela lui devenait douloureux.donc 2 h c'est trop ou alors il faut faire ça avec un char d'assaut !

Beaucoup de débat autour de la durée mais rien de bien terrible sur la fréquence.

Derniers espoirs : un article de Psychologies.com intitulé « Faisons-nous assez souvent l'amour ? ». L'article part bien avec « la fréquence est un faux problème », « les référents sont subjectifs », et « ça dépend de plein de paramètres »... Mais ce raisonnement est interrompu par la sentence d'un certain Gérard Leleu, thérapeute de couple : « Je refuse l'idée de "seuil limite", mais j'estime qu'en deçà d'un rapport tous les quinze jours, on court le risque de tomber dans une atonie conjugale néfaste à l'épanouissement du couple. »

Quinze jours ! Sylvain est bloqué sur l'écran mais ne le regarde plus. Il a pris un coup derrière la tête : son couple est atone, non épanoui et menacé. Il est ramené à la réalité par un bruit de clés suivi d'une double sonnerie énervée. C'est Pat' qui est bloquée !

Normal. Les clés sont sur la porte. Sylvain efface l'historique de sa navigation et se connecte à Lequipe.fr.

Patricia sonne à nouveau :

— J'arrive, j'arrive ! lui dit Sylvain.

— Tu t'enfermes de l'intérieur maintenant, toi ?

— Pas fait gaffe. C'était sympa, ton cours de stretching ?

— Pas mal, mais ça m'a lessivée.

Patricia va direct dans la cuisine :

— Tu nous as pas préparé un petit repas ?

— Mais non, je croyais que t'aurais dîné avant ton cours.

— Bah non !

Sylvain dévisage Patricia. Encore un peu émoustillé par ses recherches, il se l'imagine nue sur des talons de douze centimètres.

— J'ai trop mal à mon genou, se plaint Patricia. Ça me tire. Je ne sais pas si ça me fait du bien, ces cours.

Elle s'assoit sur le canapé et relève son pantalon. Elle plie et déplie sa jambe et se gratte le tibia.

— Tu vois là, c'est à cet endroit que ça me tire.

— Fais voir, lui dit Sylvain en s'approchant.

Il lui saisit la jambe et lui masse le mollet.

— Aïe ! tu presses trop là, arrête !

— Ah, désolé.

Il rapproche son nez du genou de Pat' et lui caresse la cuisse.

— Tu sens bon, dis donc.

— Normal, j'ai pris une douche après le cours.

Sylvain arrête son jeu, il sent bien que sa copine n'est pas en phase…

Ils vont se coucher bien au chaud sous la couette comme ils aiment. Ils se blottissent l'un contre l'autre, en oublient les indicateurs…

Et ils le font !

Les *losers* de la rupture

— *Léo, tu viens au salon ?*

— *Quoi ?*

— *Papa et maman veulent te dire quelque chose.*

— *Mais quoi ?*

— *Papa et maman vont se séparer.*

— *Ah non ! Je ne suis pas d'accord !*

— *Papa et maman s'engueulent tout le temps. Ils ne s'aiment plus.*

— *Mais papa t'aimera toujours et maman t'aimera toujours.*

Aujourd'hui, un couple sur deux divorce. Eh bien, maintenant c'est au tour de Lise et Seb. « Bienvenue au club ! » comme disent les abrutis.

Après sept ans de vie commune, Lise a quitté Seb et pris un appart. En fait, elle l'avait déjà quitté. Ils ne sortaient plus ensemble, ne dormaient plus dans le même lit et ne faisaient plus l'amour. Enfin parfois si. C'est compliqué. Devenus colocataires-parents, ils continuaient à vivre sous le même toit pour préserver leur petit Léo, quatre ans.

Puis un jour, Lise a retrouvé Karim, son amour de vingt ans sur Copainsdavant[1]. Déclic final pour Lise qui s'est décidée à partir. Explosion de Seb quand il a découvert les détails. Depuis trois mois, Lise et Seb ont chacun leur appart. Léo est basé chez maman, mais va de temps en temps chez papa.

Dimanche soir d'un week-end sans son fils, Lise est chez elle et n'arrive pas à décoller. Elle est en retard. Dans une heure, elle doit retrouver Anne, sa copine qui vient aussi de se séparer. Lise l'adore mais là… au-cu-ne envie de bouger. En plus, Anne va encore faire style « je-maîtrise-tout et je vais super-bien ». Non merci.

Mais Lise se fait violence. Après tout, le dimanche, ça roule bien. En trente minutes, elle est chez Anne, qui l'étouffe dans ses bras.

— Salut, ma Lisou, comment tu vas ?

— Ça va, ça va. Et toi ?

— Ah je me suis fait un truc d'enfer cet aprèm, un forfait hammam massage. Faut absolument que je t'y emmène, ça te ferait un bien fou.

Anne entraîne Lise dans le salon et sert deux martinis blancs.

— Et tes gamins, ils vont bien ? demande Lise.

— Elsa et Valentin ? Nickel. Ils sont en forme. Et puis, les enfants ça s'adapte.

---

1. Site où l'on retrouve ses copains de classe perdus de vue. 12 millions d'inscrits, 25 millions de photos.

Elles trinquent.

— Tu sais, avec Sergio on a vachement dédramatisé et je pense qu'ils le ressentent.

Anne lui explique que diffuser son stress auprès de l'enfant peut générer une « angoisse de séparation développementale ».

— Mais concrètement vous faites comment avec les petits ? demande Lise.

— Avec Sergio on a opté pour la garde alternée et calé un planning pour les huit prochains mois. Jours roses chez maman. Jours bleus chez papa.

— Dis donc, ça rigole pas chez vous…

— Ouais, c'est important les repères pour les enfants. D'ailleurs j'ai affiché le planning sur le frigo.

Lise ne réagit pas. Avec Seb, ils n'ont rien calé, ni planifié.

— Sinon je te conseille un super site, Newfamily.fr, qui m'aide bien. J'adhère trop à leur slogan « le bonheur ça s'organise ».

Ça sonne tellement faux que Lise a envie de lui rentrer dedans, mais son téléphone sonne. C'est Seb. Elle sort du salon et s'isole dans la chambre d'Anne.

— Salut, je te dérange ? lui demande son ex.

— Un peu, je suis chez Anne. Léo a bien mangé ?

— Pas encore, on allait juste passer à table.

— À 20 heures un dimanche soir alors qu'il a école demain !

— Oh c'est bon ! Pour une fois, il peut se coucher un quart d'heure plus tard ! Mais je ne t'appelais pas pour ça.

— Qu'est-ce que tu voulais alors ?

— Je voulais savoir si exceptionnellement tu pouvais prendre Léo samedi en quinze ? J'avais complètement zappé, mais je suis invité à un débat à la fête de l'Huma à 18 heures.

— Ouais, c'est ça, t'as pas plutôt rencart avec Paula ?

— Qu'est-ce que tu racontes là ?

— T'avais qu'à faire « sign out » quand t'as utilisé mon ordi chez moi l'autre jour.

— Tu m'espionnes maintenant ?

— J'espionne rien du tout et pour samedi prochain je ne peux pas, j'ai déjà un truc de prévu.

Seb se tend puis se calme :

— Bon ok, laisse tomber, je vais m'arranger avec ma mère.

— Si c'est pour le laisser à ta mère, c'est pas la peine !

— Comment ça, c'est pas la peine ?

— Bon ok, je vais m'arranger. Tu me passes Léo ?

Après avoir embrassé son fils, Lise revient dans le salon :

— Désolé mais j'aurai Léo le soir de ta crémaillère.

— Mais j'avais choisi le 22 exprès pour que tu puisses venir !

— Oui je sais bien, mais là Seb a une contrainte.

— Et toi tu changes tes plans en fonction des *desiderata* de Monsieur ?

— Pour le bien de Léo, oui.

— J'espère au moins que t'as pas oublié notre brunch samedi prochain ?

— Justement j'allais t'en parler, je ne pourrai pas non plus. Je déjeune chez Seb avec Léo.

— Ah non, là, t'abuses ! Vous êtes de nouveau ensemble ou quoi ?

— Non, on essaye juste d'avoir des relations apaisées. C'est tout.

— C'est malsain, votre truc. Il va plus rien comprendre, votre petit.

Lise ne répond pas. Pas envie de débattre avec Anne… Elle va dans la cuisine se servir un verre en imaginant son petit Léo fatigué et bougon devant un plat surgelé. Elle ne sait pas qu'à cet instant précis, son fils termine son bol de soupe et attend que son père ait fini d'enlever la couenne du jambon qu'il lui sert avec des tomates bio coupées en petits cubes… et du riz.

« Ça le changera des *nuggets* de sa mère », se dit Sébastien, en versant le jambon dans l'assiette pas mécontent de lui.

— Papa ! Papa ! Ton iPhone, il vibre !

— Merci, mon cœur. (…) Allô, (…) oui, Thomas ? Je peux te rappeler dans une heure ? Je suis à table avec Léo.

Une heure plus tard, allongé dans son lit, Léo est en train de réciter à son père « Ma gomme » de Maurice Carême que sa maîtresse lui a donné en devoir. Sébastien l'embrasse, éteint la lumière et retourne dans le salon appeler Thomas.

— Alors ! comment va le papa poule ?

— Il va bien. Léo est en forme. Je viens de le coucher.

— Ok, mais toi ? Comment tu vas ? Tu sors un peu quand t'as pas le petit ?

— Pour l'instant, pas trop… je mets un peu tout en place.

— Pourquoi tu t'inscrirais pas sur Meetic ?

— Non, ça me dit vraiment rien et… tu sais, je pense encore vachement à Lise.

— C'est normal, vous avez été sept ans ensemble. Mais pour te donner de la force, rappelle-toi que c'est elle qui est partie.

Sept ans ! Ils en ont fait des choses ensemble quand même… Séquence nostalgie à travers les albums photos de son disque dur : Seb et Lise au Japon. Lise et Seb en Californie. Seb et Lise au pays de l'or noir… Ils étaient mignons tous les deux au bord du Grand Canyon.

Et leur dernier voyage en Corse ? Seb avait posté direct sur Facebook un album « Porto Vecchio 2010 ». Il s'arrête sur une photo où Lise le tient par la taille. Maintenant, elle sonne faux pour lui. Elle devrait paraître encore plus bizarre à ses amis. Seb la supprime. La page se recharge et génère à droite de l'écran l'injonction suivante :

> Dites bonjour à Lise Rodière. Envoyez-lui un message.

Facebook, dans son souci permanent de productivisme social, suggère à Sébastien de reprendre contact avec son ex. Seb vient de l'avoir au téléphone, mais ne résiste pas à la curiosité de cliquer sur son profil.

Lise n'a pas changé son statut, elle est toujours en couple. Seb non plus, n'a rien changé.

Or, tant que ce n'est pas clair sur Facebook, ce n'est pas clair aux yeux du monde. Et donc ce n'est pas clair tout court.

Si vous n'êtes pas en couple sur Facebook, ça veut dire que vous n'êtes pas vraiment engagé. Si vous n'êtes pas célibataire sur Facebook, ça veut dire que vous n'êtes pas vraiment séparé.

Facebook a bien prévu une option intermédiaire : « C'est compliqué », mais elle est peu utilisée. Pour les hommes, ça fait indécis. Pour les femmes, ça fait allumeuse.

Divorce planner

Anne et Lise, deux copines inséparables, deux mamans séparées depuis six mois. Mais la ressemblance s'arrête là. Anne a tout organisé : annonce concertée sur Facebook de la rupture avec son mec, planning de garde des enfants, rachat de sa part de l'appart devant notaire. Lise, c'est plus flou. Avec son ex, ils n'ont pas changé leur statut sur Facebook et pour la garde de leur fils, ils gèrent ça à la petite semaine.

Le soir chez elle, Anne, toujours en quête de bonnes pratiques sur la séparation, surfe sur son site préféré NewFamily.fr. Elle s'aperçoit que, ce week-end, il y a un salon pour elle : le salon du Divorce et du Nouveau Départ[1]. Elle envoie tout de suite un mail à Lise :

Objet : Salon du divorce et du nouveau départ

Hello ma petite Lise,

Je viens de tomber sur un salon fait pour nous ! En plus c'est ce week-end. J'ai bien envie d'y aller. Ça a l'air top. Regarde je t'ai mis le lien en dessous :
http://www.nouveaudepart.fr/
C'est à l'espace Champerret. Ça te dit qu'on y aille ensemble ?
Si oui, je passe te prendre samedi vers 14 h.
Biz
Anne

---

1. Au salon du Nouveau Départ, vous pourrez rencontrer la Communauté du divorce et de la séparation.

« Le vrai bonheur ne dépend d'aucun être, d'aucun objet exté-
rieur. Il ne dépend que de nous… »
Dalaï Lama

Chez elle, Lise entend un petit *ding* sur son portable. Coup d'œil rapide sur l'écran. C'est Anne. Lise
lit tranquillement son mail et clique sur le lien :

SALON DU NOUVEAU DEPART (DU DIVORCE, DE LA
SEPARATION ET DU VEUVAGE)

Le divorce n'est plus un échec mais une deuxième chance,
une nouvelle opportunité pour rebondir. Ce n'est plus la fin
de l'histoire mais le début d'une autre. L'aventure est en bas
de l'immeuble.

Au salon, vous trouverez tous les conseils nécessaires (avo-
cats, médiateurs, notaires, psychologues, agences immobi-
lières, agences de voyage, clubs de remise en forme, détectives,
coachs et instituts de beauté)… pour réussir largement votre
séparation.

« Il n'y a qu'Anne pour trouver des plans comme
ça. Ça fait propagande du bonheur mais bon au second
degré ça peut être amusant », se dit Lise en tapotant
sa réponse par SMS : Ok pour samedi 14 h, Bisous

Samedi 7, 14 heures, Anne attend son amie dans sa
Mini Cooper.
— Salut, ma belle ! Ça va ? Prête pour le nouveau
départ ?
— Franchement là j'y suis pas mais je veux bien
t'accompagner.
— Moi je suis sûre que là-bas tu trouveras de bons
conseils. Y a même des aides juridiques sur mesure.

Les deux copines entrent dans le grand hall des
divorcés épanouis : interdiction de broyer du noir,

bonheur obligatoire. Anne et Lise, soyez des « winneuses » pas des victimes.

Anne récupère le programme des conférences à l'accueil.

— Celle-là, elle a l'air vachement bien ! s'enthousiasme Anne en pointant du doigt : « Le marketing relationnel, développer son réseau de relations et construire un projet pour un nouveau départ ». Ça commence dans cinq minutes. On y va ?

— Ça me dit pas trop de m'asseoir tout de suite. Y en a pas une plus tard ?

Lise regarde le programme :

11 heures : « Maman divorcée ou séparée, assurez vos ressources. »

— Merde ! c'était ce matin, dit Lise.

14 h 15 : « Divorce, décès : comment anticiper la rupture du lien conjugal ? »

— Prise de tête.

15 heures : « La place de la chirurgie esthétique dans la reconquête de son image. »

— Non merci !

16 h 30 : « Comment trouver l'homme ou la femme de sa vie ? Les cinq questions incontournables à se poser. »

— Ah celle-là ! elle a l'air marrante, ça te dit ? Oui ? Alors on ira mais d'abord baladons-nous.

Dans l'allée D', Lise s'approche du stand *« Let's feel good,* deviens le coach de ta vie ». Hubert, « coach personnel » professionnel, l'accueille avec le sourire. Son visage a l'air shooté au positif. Il semble tellement convaincu par ses arguments qu'on le croirait sorti d'un lift mental :

— Vous connaissez la méthode de coaching *Feeling Image*, « Je suis bien et ça se voit ! » ?

— Non, mais je sens que vous allez m'en parler.

— C'est une méthode pour réussir votre séparation.

— Moi, en ce moment, je me pose plein de questions et parfois je regrette ma séparation.

Le coach juge la situation en une fraction de seconde et la rassure :

— Il y a toujours des solutions.

Mais quelles solutions ? Ce n'est pas parce que les problèmes se ressemblent qu'une même solution vaut pour tous, voudrait lui rétorquer Lise. Mais elle s'entend dire :

— Une rupture, c'est toujours triste. Vous ne trouvez pas ?

— Pas forcément… Ici on communique beaucoup sur le côté « nouveau départ ». Notre thème, c'est « être accompagné pour pouvoir rebondir ».

— Vous auriez dû mettre un kangourou sur le stand alors !

— Pardon ?…. Ahahah ! excellent !

Anne la hèle. Lise s'excuse auprès du coach et part la rejoindre.

À dix mètres du stand, Lise est prise par une odeur d'encens. Un petit Bouddha en plastique noir, quelques bambous en fond et des tourmalines[1] sur le présentoir. Un stand Feng shui. Anne est en pleine discussion avec une Chinoise. Lise interpelle gentiment l'autre Chinois :

---

1. Ces pierres, très utilisées en cristallothérapie, seraient efficaces contre les personnes négatives et envahissantes qui nous entourent. Elles dévieraient les énergies négatives vers la terre.

— Mais quel est le rapport avec le divorce ?

— Il n'y a pas de rapport spécifique mais quand vous divorcez, vous êtes déséquilibré au sens énergétique du terme.

— Ah bon ? Et ça se soigne ?

— Bien sûr. Nous proposons un soin personnalisé basé sur le principe énergétique chinois millénaire.

— Et ça marche ?

— Oui, c'est un vrai *booster* psycho-énergétique, il vous aide à passer le cap et ré-agir vers une vie harmonieuse.

Le Chinois n'a pas le temps d'en dire plus à Lise car Anne l'a déjà attrapée par le bras pour la conduire au stand *divorce party*.

— Mais on ne devait pas aller à la conférence ? s'inquiète Lise.

— Oui, mais ça c'est plus intéressant. Mate la brochure.

Fêtes-vous plaisir, vous l'avez bien mérité… Place à la fête du divorce, pour le meilleur, pas pour le pire.

Anne, partante pour le meilleur, fonce sur l'animatrice :

— Excusez-moi, c'est quoi exactement, une *divorce party* ?

— Une *divorce party*, c'est une fête pour célébrer votre divorce et ouvrir une nouvelle page de votre vie. Vous êtes divorcée ?

— Le processus est enclenché.

— Ah, ok. Je vous demandais ça car le timing est très important pour le choix de la date.

— Et ça se passe comment, concrètement ?

— Tout dépend de vous. Selon votre budget, vos

invités, vos envies, nous vous accompagnons pour la réussite de votre fête.

— Et si je veux quelque chose d'original ?

— Dans ce cas, on peut organiser une cérémonie décalée avec signature d'un registre signifiant votre statut de liberté retrouvée et remise de médaille de la divorcée réjouie. Mais prenez votre temps pour jeter un coup d'œil à notre brochure. Je vous sers quelque chose ? Un thé ou un café ?

— Je veux bien un café.

Anne et Lise se penchent sur la plaquette des « divorce parties ».

Le mariage parodié

Un maître de cérémonie préside la soirée. Sur les notes d'une marche nuptiale qui déraille, il remet la « médaille de la divorcée réjouie », lit un texte célébrant la nouvelle vie, fait signer le « statut de la liberté ».

Viennent ensuite les cotillons et le jeté de bouquet. « C'est un vrai mariage à l'envers », témoigne Isabelle, une divorcée épanouie de 38 ans. `

Et avant la fête aussi, les codes sont les mêmes que pour une noce : on envoie des invitations, on choisit des témoins.

Étonnamment, ces rituels permettent vraiment d'acter la rupture.

C'est compris ? Avant, le divorce était un échec. Maintenant, c'est une opportunité. Ça se fête, non ?

On partage tout

« Seuls les criminels se soucient de protéger leurs données personnelles », a déclaré Eric Schmidt, le patron de Google lors d'une interview sur CNBC[1] en décembre 2009.

Les criminels, ou ceux d'entre nous habitués à une certaine discrétion comme Nadia, membre de la « Delirious Team », un groupe d'amis né de la campagne BDE à l'ESC Rouen qui a pris l'habitude de vivre en communauté. Pas sur le Larzac bien sûr, mais sur Internet grâce à Gmail, Gtalk, Google Doc, Google Agenda…

En ce moment, la « Delirious Team » est sur le pont. C'est bientôt l'anniversaire de Florent. Il part travailler à Shanghai fin octobre. On est mi-septembre… Vite ! Faut lui organiser un truc !

Mais personne ne se décide à prendre le *lead*. Le temps passe. Finalement c'est Océane, la coloc de Florent, qui s'y colle. Elle commence par jeter un coup d'œil aux Google agendas de ses amis pour trouver une date qui convienne à tous.

Aline, 29 ans, y note son thé avec Katia samedi, son cours de théâtre mercredi soir, et son entretien d'éval de vendredi matin. Il y a deux ans, fouiner dans

---

1. Suite des propos d'Eric Schmidt : « Si vous faites quelque chose et que vous voulez que personne ne le sache, peut-être devriez-vous déjà commencer par ne pas le faire. »

l'agenda d'Aline, c'était comme violer son journal intime ou pire, fouiller dans son sac. Maintenant son agenda est ouvert à tous ses amis sur Google. Google Agenda, c'est l'open space des agendas. Et les quatorze de la tribu « Delirious » vivent à agenda ouvert.

Tous... sauf Nadia, toujours pénible avec ses « boîtes noires ». Les treize autres, même si personne ne les y oblige, partagent leurs emplois du temps bien volontiers. Ils font partie de la génération *Whyers* (la génération « Y »), habituée à la transparence, quasi née dans le Web entre la fin des années 70 et le milieu des années 90. Les *Whyers* ne se posent pas de questions : tant que c'est « fun », collaboratif et rapide, ils s'exhibent à tout vent.

En parcourant les douze agendas, Océane voit que les premier et deuxième week-ends d'octobre sont les plus libres. Afin d'éviter les mécontents qui se réveillent une fois la date choisie, Océane effectue un petit sondage grâce à un outil de partage des dates, le Doodle. Grâce à son Doodle, elle a une vision panoptique des disponibilités de chacun et choisit les quatre dates les plus arrangeantes et les soumet à tout le monde. En ligne, ça donne cela :

Flo B-Day party
« Choix de la date de Floflo »

| | Octobre 2010 | | | |
	ven 2	sam 3	ven 9	sam 10
Lise	**Ok**	∎	**Ok**	ok
Caro	**Ok**	**Ok**	**Ok**	ok
Greg	∎	**Ok**	**Ok**	ok

Kader	▮	▮	Ok	ok
Mayo	▮	▮	▮	▮
Nadia	Ok	Ok	Ok	▮
Matt	▮	▮	▮	▮
Ludo	Ok	Ok	▮	▮
Pif	Ok	Ok	Ok	ok
Aline	Ok	▮	▮	▮
Helena	▮	▮	Ok	ok
Iseult	▮	▮	Ok	ok
Océane	▮	▮	Ok	ok
Nombre	6	5	9	8

Chacun coche au fil de l'eau. Le vendredi 9 l'emporte avec 9 voix, donc ce sera vendredi 9. Pour le choix du cadeau, Océane ouvre un groupe de discussion sur le thème « Pot de départ et anniversaire de Florent » avec le message suivant :

Nadia <nadia-tervilier@gmail>, Caro <caro-gorille@gmail>, Pif <Pierre - philippe@gmail>, Kader <Kader.xxx@gmail>, Mayo <mahiedine-xxx@gmail>, Iseut <iseult632@gmail>, Greg <gregory-toupet@gmail>, Ludo <ludovic-michal@gmail>, Aline <aline-xxx@gmail>, Océane <Océaneoff-xxx@gmail>,Lise<Lise-mado@gmail>,matt <matthieu-damon@gmail.com>, helena <lnaho@gmail.com>

Objet : Cadeau départ et anniversaire Flo

Hello,
La date c'est le 9. On est tous d'accord. Mais le cadeau ? Quelqu'un a une idée ? Je ne sais pas si quelque chose a été initié, mais si ce n'est pas le cas, ça serait cool de lui offrir un truc.
À vos propositions !
Océane

Transparence totale. Toutes les réponses à ce premier message seront partagées par tout le monde.

Helena pense à une « sorbetière mais ça ne rentre pas dans la valise ».

Océane n'est pas sûre que Florent « appréciera d'être traité comme une ménagère ;–) » et pense qu'il faudrait « quelque chose qui lui permette de survivre en milieu hostile (noich[1]). »

Iseut suggère à Océane d'aller mater l'historique de son PC à l'appart. « Comme ça tu nous fais un retour sur ses goûts ! » Océane n'est pas du tout chaude : « :–o il en est hors de question, tu ne veux pas que je fouille dans ses tiroirs aussi non ? »

Matt détend l'atmosphère et propose « une photo de lui » et Greg « une machette ».

Mayo recadre doucement en proposant un « dîner pour 2 dans un resto étoilé » et pour ça, « s'arranger pour le forcer à y inviter une fille ».

Mais Ludo trouve que « s'il faut aussi fournir la fille, on aura juste de quoi leur payer un domac[2] ! ».

Mayo lui réplique que « (s)'il s'agit juste d'une fille (sans mention aucune de qualité), on peut lui offrir un peu plus que le domac :–D ».

Lisa propose « un plat qu'il aime (genre bon vin ou macarons Ladurée), lui acheter et lui envoyer via Chronopost 1 à 2 mois après qu'il sera parti, pour qu'il puisse en profiter une fois au pays des nouilles :–> ».

Greg revient à un cadeau plus réaliste en proposant de « tirer des photos des années étudiantes et plus, histoire qu'ils aient des souvenirs de bons moments

---

1. « Noich », chinois en verlan.
2. McDo en verlan.

avec ses amis, en photo PAPIER ». **Pas sûr de lui, il ajoute :** « Je ne sais pas si c'est très clair. Qu'en pensez-vous ? »

C'est « très clair », **c'est une** « bonne idée », **mais c'est** « hors délai » **et ce n'est** « pas sûr qu'il aime autant que ça les gueules de (ses) potes ! :–)) », **répliquent les autres.**

Alors Kader alerte tout le monde. « Dans tous les cas, il reste 36 h pour le cadeau et même si Jack Bauer a le temps de sauver 6 fois la planète ça va être plus short… » **Grâce à Kader, les allers-retours s'accélèrent et l'iPod finit par l'emporter.**

Océane achète le cadeau et avance l'argent. Elle en informe tout le monde :
Le cadeau de Sylvain est pris. Comme le pack prévu n'était qu'une exclu internet, j'ai acheté ça :
— iPod nano 16 Go
— pack accessoire Jivo pour ipod nano
Au total, 143 euros.
Océane

« Nice ! » dit Matt. « Cool ! » dit Pif.

Mayo propose un Google Doc[1] **pour faire les comptes.**

Ravie de cette initiative, Océane félicite Mayo : « Ta puissance collaborative m'épatera toujours ! »

« Je délivre ! » **répond Mayo, ravi qu'elle soit contente.** « Je prépare le document ce soir, et je vous forwarde le lien. »

Kader, également heureux qu'Océane soit ravie,

---

1. Des documents Google hébergés sur le web, accessibles et modifiables par tous les destinataires à distance.

s'ajoute au délire : « Bonjour, je peux faire l'AMOA[1] ? J'aime bien taper sur les prestataires. :–D »

Mayo a « délivré » le document. Un tableau à quatre colonnes : « nom », « sera présent ou non », « montant de la participation » et « commentaires ». Océane a aussi envoyé son RIB pour centraliser l'argent. Elle connaît les lascars de la « Delirious Team ». Si elle ne les cadre pas, ça part dans tous les sens. Océane joue sur sa fibre conviviale avec une merveille de mail style néo-manager participatif :

Oyé Oyé
Nous avons donc le cadeau. Il reste à se réunir. Merci d'y faire figurer votre présence et votre contribution au cadeau. La soirée d'anniv de Flo se déroulera donc comme prévu le VENDREDI 9. Merci de confirmer votre présence (et votre contribution au cadeau) via le Google doc ici.
Toute contribution éthylique et psychotrope est forcément la bienvenue. Bien entendu, la direction se réserve le droit de vous laisser sur le palier si déficit de style.
Haut les cœurs, haut les verres, haut les culs. Nous on est chaud, on est jeune et on est beau, alors venez vous la coller avec nous.
Kiss
Océane

Les copains et copines alimentent consciencieusement les colonnes. J–1. Océane vérifie le tableau pour la énième fois. Il reste trois mauvais payeurs : Nadia, Greg et Ludo.

---

1. AMOA : Assistance à maîtrise d'ouvrage dans le jargon des consultants (on ne sait pas trop à quoi sert le « A » final). Il y a la maîtrise d'ouvrage (celui qui décide et pilote le projet), l'assistance à la maîtrise d'ouvrage (celui qui aide celui qui décide à piloter le projet) et la maîtrise d'œuvre (celui qui réalise le projet).

Nom	Sera présent le 09	Thune	Commentaires
Lise	Yes !	15	
Caro	Non	20	
Greg			
kader	oui	15	
Mayo	oui	15	
Nadia			
Matt	Non	20 €	Je serai à Dam et fumerai en pensant à vous
Ludo			
Pif	oui	15	
Aline	Non	20	Serai à rome grosse bises
Helena	Oui	15	
Iseult	Oui	15	
Océane	Oui	15	

Océane n'est pas la seule à l'avoir noté. Iseult, l'ex de Ludo, lui envoie un message instantané sur Gtalk.

> Iseult dit :
>> Coucou ! T'as vu que Ludo n'a pas encore raqué ! il est capable de ne pas participer...
>
> Océane dit :
>> Raté ! Il vient de m'envoyer son virement, il y a 2 mn.
>
> Iseult dit :
>> Ludo ? Mais il a rien mis sur le doc. Ce n'est pas le genre à payer sans s'afficher.

Océane actualise le doc en ligne.
> Océane dit :
>> Si, ça y est ! Si tu rafraîchis ta page, tu verras qu'il vient juste de compléter le tableau.

Restent deux moutons noirs : Nadia et Greg. Océane ne les relance pas. Pas envie de passer pour la flic de service.

De son côté, Nadia n'a pas envie de jouer le jeu. Elle ne supporte pas que les autres voient le montant de sa participation. Comme elle ne veut pas être la seule à casser l'ambiance, elle se cherche un allié.

Kader ? Non, il a déjà participé. Le mouton…

Greg ? Lui n'a encore rien donné.

Message instantané.

> Nadia dit :
>> Hello Greg, t'as ps participé pour le kdo
> Nadia dit :
>> Toi aussi ça te soûle cette histoire de tableau ?
> Greg dit :
>> yep en m tps on n'a pas le tps
> Nadia dit :
>> je c pas, moi, ça me fait chier de mettre tt ça sur Google.
> Greg dit :
>> Oulah miss parano ! Tu crois qu'ils en ont qq chose à foutre !!!
> Nadia dit :
>> Dsl mais moi, je lui fais un cadeau à part ! T'es avec moi ?
> Greg dit :
>> Ça aurait été avec plaisir ms là j'allais faire le virement…

Finalement, Nadia n'a pas voulu pousser trop loin son mauvais esprit. Elle a précisé, dans le Google Doc, qu'elle ferait un cadeau à part. Océane n'a donc pas reçu de chèque de sa part, mais qu'importe, Florent a eu ses cadeaux et la « Delirious Team » était au complet autour de lui. Tout s'est donc déroulé parfaitement. Et de façon presque totalement transparente.

Avant, faire un cadeau collectif, c'était glisser un ou plusieurs billets dans une enveloppe en fonction de son envie et de ses moyens. Aujourd'hui, on continue de donner ce qu'on veut, mais bizarrement, à cinq euros près toute la « Delirious Team » a donné pareil… sauf Nadia !

« Faut absolument que je l'appelle »

Stanislas, Raphaël et Laurent sont trois bons vieux amis de Sciences-Po promo 97. Entre eux, ils s'appellent « le Trio ».

Mais en ce moment, Laurent ne va pas trop bien. Alors quand Stanislas et Raphaël se retrouvent à déjeuner au Samourai, un resto japonais au niveau – 1 du centre commercial des Quatre-Temps à la Défense, leur conversation tourne pas mal autour du maillon faible.

— Tu l'as vu, Laurent, récemment ? demande Raphaël.

— Non, mais j'ai eu des *news* par son frère.

— Et alors ? Il rebosse ?

— Toujours pas, mais je crois qu'il est encore aux Assedic.

— Faudra que je pense à l'appeler. Mais cette semaine, je suis sous l'eau.

— Ouais moi aussi, c'est chaud, mais faut que je trouve un moment pour l'appeler en direct.

L'appeler « en direct » ? Ça donne quoi un appel non direct ? Un SMS, un message sur le répondeur, un e-mail doublé d'un SMS... toutes les façons d'entrer en contact en évitant l'échange de vive voix.

Après un menu brochettes thé vert, Stanislas et Raphaël repartent dans leurs tours respectives. Chacun repense à Laurent. En traversant le parvis, Stanislas décide de renouer avec lui par texto :

Salut Laurent ! J'espère que tu vas bien ! Sorry de ne pas avoir donné plus de news ces derniers temps. J'ai été (et suis encore) sous l'eau. Un abrazo

Raphaël, lui, regagne la tour Total. Avant son comité de pilotage, il laisse un message à Laurent sur son mur de Facebook :

Raphaël Solicot Alors quoi de neuf Laurent ? Faut absolument qu'on se cale un dej très vite !

Auj, à 14 :10. **J'aime. Commenter**

Une semaine plus tard, le message de Raphaël est toujours sans réponse, alors il appelle Stanislas :

— Salut, Stan. Je te prends pas longtemps. Je t'appelais juste pour savoir si t'avais eu des news de Laurent ?

— Je lui ai envoyé un texto mais je n'ai pas de réponse. Et toi, tu l'as eu ?

— Non ! J'ai écrit un petit mot sur son mur. Pareil, pas de nouvelles ! Il pourrait nous répondre quand même !

— Ouais, enfin, il paraît qu'il n'a pas trop la pêche et…

— Attends, ce n'est pas une raison ! Ce n'est pas en se coupant du monde qu'il va aller mieux !

— C'est vrai mais c'est peut-être à nous d'insister ! remarque Stanislas.

— Bah, appelle-le alors !

D'accord, d'accord. Mais cette semaine, ça ne va pas être possible pour Stanislas. Grosse charrette au boulot et ce week-end, mariage. Et la semaine prochaine ? Impossible, il est en déplacement. Ça repousse l'appel à la semaine 41. Un peu loin pour appeler Laurent en direct.

En attendant, Stanislas va à la pêche aux news sur le profil Facebook de Laurent. Mais sa dernière publication, une vidéo d'une chanson de Gainsbourg date d'un mois. Depuis, rien. Il s'est retiré du jeu. Son profil ne bouge plus. Seule info en rapport avec lui, sur le fil d'actualité, un statut de son frère Basile :

Basile Guiton est content de retrouver son frère ce week-end.

18 sept, à 17:03. **J'aime. Commenter**

Le message date d'une semaine. Entre-temps, ils ont dû se voir. Stanislas appelle donc Basile à l'heure du déjeuner. Après deux trois paroles histoire de meubler, Stanislas en vient aux faits :

— Sinon en ce moment, je m'inquiète un peu pour ton frangin. Tu l'as trouvé comment toi ce week-end ?

— Pas trop en forme, c'est clair. Il est limite *borderline*.

— Ah ouais ? À ce point-là ?

— Ouais, il est sur une mauvaise pente. Il a besoin de soutien. Passe le voir, ça lui fera trop plaisir.

— Ouais, faut absolument que je le voie. Mais en ce moment c'est chaud, j'ai plein de trucs et j'ai du mal à le joindre.

Façon de parler car Stanislas n'a toujours pas décroché son téléphone pour l'appeler… Même si cela fait trois semaines qu'il annonce qu'il va le faire.

Mais là, les infos de son frère commencent à l'inquiéter. Faudrait qu'il se bouge, qu'il l'appelle au plus tard… demain.

Au boulot, alors qu'il est à la machine à café, Stanislas reçoit un SMS d'alerte SFR-Info :

Laura Smet hospitalisée après une tentative de suicide.- cliquez sur le lien.

Stanislas ne clique pas, mais ne peut pas s'empêcher de faire un lien avec Laurent. Comme un signe du destin. Et si son ami faisait une connerie… il ne pourrait plus se regarder dans la glace. Alors, il ose. Il touche « Laurent » dans son répertoire, le numéro se compose. Il l'appelle en direct. Ça sonne une fois, deux fois, trois fois. Répondeur. Stanislas laisse un message.

Salut Laurent ! c'est Stan euh… je venais aux nouvelles pour savoir comment ça allait… euh je te rappellerai plus tard… De ton côté, appelle-moi quand tu veux… Là, je rentre en réunion pour l'aprèm et je coupe mon portable. Quoi qu'il arrive on s'appelle car faut vraiment qu'on se voie. Au pire, je réessayerai ce soir…

Mais le soir même, Stanislas ne se sent déjà plus de téléphoner à Laurent. Question de timing. Il est 20 heures et son cours de théâtre est à 21 heures. Ça va être short. Il l'appellera après.

Sa répèt' déborde. Stanislas n'est chez lui qu'à

23 h 30. Plus l'énergie pour appeler. Faut qu'il soit en forme pour sa présentation de demain. Et avec Laurent, on ne sait jamais combien de temps ça va prendre...

Le lendemain, Stanislas appelle Laurent de l'aéroport : un coup de fil minuté entre l'enregistrement et l'embarquement. Cette fois, il décroche.

— Salut Laurent, je t'appelais vite fait avant d'embarquer. Ça te dit de venir voir Lyon-Real ? Y aura Steph, Marco, l'ami Polo et moi.

— Euh... ouais pourquoi pas ? Vous vous retrouvez où ?

— À la brasserie habituelle, sortie métro Oberkampf, 20 h 15. Faut que je te laisse car j'embarque.

Voilà, c'est fait. Simple comme un coup de fil ? Non, s'appeler en direct n'a jamais été aussi compliqué. Du coup, on passe ses coups de fil dans les taxis, dans le métro ou avant de rentrer en salle de cinéma. Des appels éclairs bornés dans le temps aux portes de sortie rapide.

Birthday calendar

Le 9 avril, c'est l'anniversaire de Marc. Pour ses trente ans, Marie, sa copine, lui avait organisé une petite surprise. Elle avait appelé chacun de ses amis, laissé des messages, relancé, confirmé par texto. À 20 h 10, Marc avait mis les clés dans la serrure et : « Jo-yeux an-ni-ver-saire Maaarc !!! Jo-yeux an-ni-ver-saire !!! ». Marc avait mis sa main devant sa bouche : « Oh, non ! J'y crois pas » (faux, il s'en était douté dès le matin quand Marie lui avait demandé pour la troisième fois s'il allait au squash). Puis, les lumières s'étaient éteintes, Marie s'était avancée avec une micro-pièce montée de trente macarons… Stop ! On arrête là. Vous l'avez compris, c'était le Moyen Âge.

Cette année, Marc va avoir 32 ans. Et c'est dans une semaine.

— On fait quelque chose pour ton anniversaire ? demande Marie en mettant de l'eau à bouillir pour un thé.

— Je ne sais pas… 32 ans, ça m'évoque trop rien. Je ne me vois pas mobiliser tous mes potes pour ça.

— T'es sûr ?

— Ouais, en plus ça tombe un lundi.

Marc est-il devenu ermite ? Non, il sait que, même sans rien faire, ils vont être des dizaines à lui fêter son anniversaire. Marie n'y est pour rien. Il a trouvé beau-coup plus fort : le *birthday calendar*, l'application qui se charge de prévenir automatiquement tous ses amis sur Facebook. Ce matin, soit sept jours avant le jour J, tous les contacts de Marc ont reçu ce message :

Anniversaire cette semaine : Marc Mironio Jeudi 9 avril 32 ans

Et aux premières heures du 9 avril, ils reçoivent ce gentil *reminder* :

Marc a un an de plus, dites-lui bon anniversaire.

Ce matin-là, quand Marc arrive au bureau, il consulte tout de suite sa boîte mail personnelle : déjà dix messages de Facebook. La cuvée anniversaire. Son mur est recouvert de félicitations. Alex : « Salut Marco bon anniv. » Catherine : « Happy birthday mon Marco hope all is well. » Laura : « Bon anniv see u soon... » Laetitia : « Happy happy happy birthday ! Bon là, cela ne se remarque pas, mais je chante ; –) » Albane lui envoie un petit dessin tout mignon d'une biche qui tient un cœur entre ses pattes. Marc en pleurerait presque.

Mais il doit bosser. Avec des pauses fréquentes sur Facebook pour découvrir qui lui souhaite un bon anniversaire. À 11 h 12, c'est Sandrine : Happy B-Day mister ! see you...

« Sandrine, Sandrine... c'est qui déjà ? » Marc clique sur son profil. « Pas mal... mais je ne sais plus d'où je la connais. » Il parcourt ses albums photos et soudain, grâce à une image d'elle sur une plage ensoleillée, c'est le déclic. « Ah ouiiii, c'est vrai, je l'avais rencontrée il y a deux ans à Miami. » Pas de nouvelles depuis et aujourd'hui, elle lui souhaite son anniversaire. Marc aurait préféré qu'elle le fasse par mail car, sur son mur, Marie va se demander d'où elle sort...

À partir de 16 heures, le débit se ralentit. Le gros des troupes Facebook a déjà envoyé son « happy birthday ». Marc fait défiler les vingt et un messages de son mur comme on feuillette un livre d'or. Certains ont un style plutôt relâché : « bonne anniv' ma couille... », écrit Franck. D'autres sont plus sobres, comme celui de Rodolphe : « bon anniversaire Marco ». Et ne croyez pas que cela indique leur degré de proximité. Franck est un ex-collègue. Rodolphe, un de ses meilleurs amis. C'est comme ça. Les moins proches se permettent parfois d'être les plus familiers. Sans doute une façon de combler la distance… « Saaaaaaaaluuuuuuut vieux frère ! » lui écrit un fils d'ami de ses parents qu'il n'a jamais pu supporter. « P'tain mais j'savais pas que t'étais aussi vieux ! trooooop cooooool t'es un vrai mec now ! » se permet Renaud, un ex-camarade d'hypokhâgne qu'il ne voit plus que sur Facebook.

Au moment de quitter son bureau, Marc fait un dernier check : trente messages. Objectif : quarante-cinq avant les douze coups de minuit.

De retour à la maison, il découvre que Marie lui a préparé un petit dîner aux chandelles. Gambas, saumon fumé, pouilly-fuissé et gâteau maison avec trente-deux bougies. Le repas est exquis. Marie a mis une petite robe noire moulante, tout ça prend le chemin de la chambre, mais Marc ne peut pas s'empêcher de bifurquer par le salon, direction l'ordinateur, là où son anniversaire se transforme en événement mondain.

Fanny, sa copine du lycée et éternelle confidente, lui donne des conseils de santé pointus : « Profite bien, sois en forme. » Certains, comme son ex-collègue Nasser, prennent des nouvelles « en passant » : « Bon anniversaire Marc ! J'espère que tout se passe bien pour toi dans ta nouvelle vie ;) À une prochaine :) » D'autres, comme Anthony, vont jusqu'à lui proposer de le voir. Une faute de goût. « Très bon anniversaire ! Faut qu'on se cale une petite bière prochainement ! La bise. »

— Mais qu'est-ce que tu fais encore à l'ordi, tu ne veux pas venir ? miaule Marie de la chambre.

— Si, si, je checke juste un truc et j'arrive !

Marc remercie tout le monde en cliquant sur « J'aime » en face de chaque message. C'est rapide, ça évite de réfléchir et au moins ça ne fait pas de jaloux.

Marie se relève :

— Bon alors ! ? Tu viens ?

— J'arrive…

Marc parcourt une nouvelle fois la liste des messages, vérifie son portable : aucun message de Sylvain, son ami d'enfance.

— Sylvain ne m'a même pas fait signe, soupire Marc en s'asseyant sur le lit.

— Attends encore un peu. La journée n'est pas finie.

— Vu l'heure, il m'a zappé.

— Au pire il t'appellera demain. Allez, viens te coucher.

Au réveil, Marc fait un rapide bilan devant un bol de café fumant : 32 ans, trente-neuf messages sur le mur, quatre SMS (son frère, son beau-père, sa cousine et Lydia, une copine de Marie)… et seulement trois appels (sa mère, son père et Rodolphe, le seul ami à avoir doublé son message Facebook par un appel). Au bureau, il « checke » de temps à autre sa page Facebook mais l'événement est terminé. Tout le monde est passé à autre chose. Il ne croise que quelques retardataires.

Il y a Vanessa, une de ses bonnes amies qui, chaque année, lui souhaite son anniversaire en retard.

Vanessa Guiton Joyeux anniv Marco !! Désolée pour le retard…

J'y ai pensé mercredi et du coup ça m'est sorti de la tête…

10 avril 2010, 11 h 12· **J'aime**· **Commenter**

Laurent, son cousin.

Laurent Brun joyeux anniversaire couzin ! avec du retard mille excuses j'étais déconnecté, et bonne fête comme on dit chez toi…

10 avril 2010, 15 h 20 · **J'aime**· **Commenter**

Et finalement Sylvain, « son » Sylvain.

Sylvain Bonnaire Bon anniversaire à toi mon Marco avec un jour de retard. Désolé. Je n'ai pas ouvert Facebook hier. A+

10 avril 2010, 17 h 17 · **J'aime** · **Commenter**

C'est intégré, accepté, rentré dans les mœurs. Facebook pense pour vous, gère vos amitiés pour vous. Une journée sans Facebook, et vous risquez de trébucher dans votre vie sociale.

Cela dit, vous pouvez aussi trébucher avec. Méfiez-vous des « *fake birthday* » ! Ses adeptes inscrivent une fausse date de naissance sur leur profil et repèrent ceux qui les félicitent le mauvais jour. Une bonne façon de faire le tri dans ses « amis »…

Mondanités en jogging

Finies les soirées « *lose* » face à la télé, en jogging à bouffer vos tacos sur le canapé !

Grâce à un ordi connecté, vous pouvez passer une

soirée mondaine seul chez vous. Vous pouvez même garder votre jogging et bouffer vos chips.

Ce jeudi soir, Katia a la flemme de sortir, mais n'a pas non plus envie d'être seule. Après une longue journée en open space, elle retrouve son 32 mètres carrés rue Oberkampf. Une serviette mouillée sur le tapis, les rideaux encore tirés, le lit pas fait. Elle était à la bourre ce matin… Katia soupire, mais au lieu de ranger, préfère réveiller son PC posé sur la petite table basse devant la télé.

Pendant que son ordinateur mouline, Katia balance ses talons sur le tapis, branche i>Télé et s'affale sur le canapé. Les mineurs chiliens remontent à la surface en mondovision. En dessous, des flashs défilent, l'OM a gagné 3-1 à Lille, l'indice Nikkei est descendu à 1,17 %, le nombre de victimes de Richard, l'ouragan bélizien, est monté à 17. Les infos tournent en boucle et Katia prend des nouvelles sur Facebook. Son portable sur les genoux, elle fait défiler les actus de ses amis.

Cécile Clairveaux a la grosssssse patate !!!!
Il y a environ une heure via Blackberry · **J'aime. Commenter**

Katia Loneau aime ça.

Lucie Muchi est heureuse de vous annoncer la naissance de Paul (4,250 kg, 51 cm)
13 octobre 2010, à 10 :42. **J'aime. Commenter**

Katia s'arrête sur la photo de Lucie et de son bébé prise à la maternité. Lucie a beau esquisser un sourire à la Rachida Dati, elle a l'air bien fatiguée.

À côté de Facebook, Katia a son autre fenêtre

sociale ouverte : MSN. En mode invisible, elle regarde tranquillement qui est là : Olga, Marion, Jorginha (trois copines), Corentin (son cousin), Odile (sa belle-sœur) et Igor (un collègue et néanmoins ami). Si Katia a envie de parler... y a du monde.

Alt-Tab MSN / Facebook. Katia revient sur le fil d'actualité. Sa copine Julie vient de publier un nouveau statut.

Julie Perrin Camden, Piccadilly, Chinatown, Portobello, A&F, Que du Bonheur !!!!
Il y a 6 minutes via Iphone. **J'aime. Commenter**

Julie est à Londres. Trop contente pour elle... Katia regarde les photos que Julie a postées. Arrêt sur image sur Julie en face de Big Ben. Retour en arrière sur le profil de Lucie. Clic sur une vidéo de pub Décathlon partagée par Céline... Elle clique, elle clique, mais ne commente pas.

Bong ! Une petite vignette clignote en bas de l'écran. C'est Lina, une fille avec qui elle s'est liée à force d'échanger sur le forum « C'est pas si mal le célibat ! » de Psychologies.com.

Bong plus aigu ! Un message d'alerte sur sa batterie s'affiche au milieu de l'écran. Plus que cinq minutes d'autonomie... Katia s'active, pose son PC sur la table basse, attrape le cordon par terre et se branche. Applaudissements sur i>Télé. Katia lève les yeux. Le vingt et unième mineur chilien, Yoni Barrios, est sauvé. De retour à la surface, il retrouve sa maîtresse et s'effondre dans ses bras.

Petit *ploc* sournois annonçant l'envoi d'un message.

Francesco dit :
Bonsoir Katia.

Francesco dit :
        …bientôt en vacances ?

Damn ! Katia a oublié de se mettre en mode invisible sur la messagerie instantanée de Facebook ! C'est Francesco, un copain de la fac qu'elle a recroisé samedi dernier à la crémaillère d'Olga. Et là, aucune envie de lui parler. Tant pis. Il croira ce qu'il voudra, mais elle lui ferme le tchat au nez.

Olga est connectée ! Avec elle, au moins, on se marre bien.

Katia dit :
        Slt ma belle !
Olga dit :
        Coucou toi
Katia dit :
        ça va ?
Olga dit :
        bof
Katia dit :
        ?
Olga dit :
        G craqué… :)
Katia dit :
        hum ?
Olga dit :
        g pecho un McDo
Katia dit :
        Aïe :)
Olga dit :
        Arrête,,,
Katia dit :
        T'as pris cher ??
Olga dit :
        1 Bic Mac + sundae…

138

Katia dit :
    :)
Katia dit :
    Dur ! Detox demain ?
Olga dit :
    Te laisse ça sonne ! .
Katia dit :
    ok, a+

Au même moment, Carole, son amie de dix ans, agresse Katia à coups de wizz[1] qui font trembler son écran.

Carole dit :
    Coucou T là ?
Carole dit :
    ???
Carole dit :
    Ouh ouh ? :(((((((

Katia fait la morte. Carole va encore lui tenir la jambe. Ce n'est peut-être pas très sympa de sa part mais ce soir, elle n'a pas l'énergie pour l'écouter ressasser ses problèmes de couple avec Yannick. Trop prise de tête. Vraiment.

---

1. Le guide MSN Messenger vous explique très bien l'utilité d'un *wizz* : « Votre contact a tendance à s'assoupir devant son ordinateur et à ne pas répondre à vos messages ? Réveillez-le avec un wizz !

On a parfois besoin d'attirer l'attention d'un correspondant, surtout quand il met du temps à répondre aux sollicitations. Mais multiplier les messages n'est pas toujours efficace. Heureusement MSN Messenger dispose d'une arme secrète. Secouez donc votre correspondant en lui envoyant un wizz ! Comment faire ? Il vous suffit de cliquer sur le bouton wizz de la fenêtre de discussion. Votre contact verra alors sa fenêtre MSN Messenger vibrer, en même temps que retentira une alerte sonore. »

> Carole dit :
>   Je c ke t la ! ;)))

Carole insiste, elle connaît la technique du mode invisible. Katia est embêtée. Si elle l'esquive, Carole est capable de l'appeler sur le fixe. Elle choisit de lui faire signe dans l'idée de s'éclipser rapidement.

> Katia dit :
>   Lol ! gt a la cuisine… me fé à bouffer
> Carole dit :
>   Tu te fé koi de bon ?
> Katia dit :
>   Riz basmati

Riz basmati au curry. Katia adore ça. Mais, en réalité, elle a la flemme de sortir le vapocuiseur. La cuisine est loin. Le sol glacial. Bien emmitouflée dans sa couette, elle n'a pas envie de décoller de son canapé.

Ou alors si, mais vite fait. Juste un aller-retour express à la cuisine. Katia enfile ses chaussettes-chaussons antidérapantes Snoopy et part farfouiller dans le placard et attrape un paquet de raisins secs blonds et dodus. Retour canapé. En cinq minutes, le paquet est terminé. Ça mériterait un statut sur Facebook.

Bong ! C'est Carole qui ne la lâche pas :

> Carole dit :
>   Moi g pas faim. C la guerre avec Yannick :-(
> Carole dit :
>   Et en + je le kiffe encore !

Katia n'écoute pas. Elle vient juste de voir que Diego, un ami de son cousin devenu son ami, vient de poster un clip sur Facebook.

> Diego Lepautre via Shazzula Nebula :
> Teaser#2 from Cosmotropia de Xam's SU vimeo.com

2''37'. Ok. Ce n'est pas trop long. Katia clique sur le clip. Sur fond de vent psychédélique, une femme à la longue chevelure noire et aux lèvres rouges épaissies agite les bras et chante doucement...

Katia « *like* »[1] tout de suite et le partage direct avec Olga :

> Katia dit :
> Recoucou toi suis sur un son trop beau !
> Olga dit :
> fais peter
> Katia dit :
> Teaser#2 from Cosmotropia de Xam's SU
> Olga dit :
> + tard vé me chercher un peu de bouffe, je te reprends après g trop faim :)

Faim ? Katia aussi a l'estomac dans les talons. Direction frigo. Aiguillettes de poulet, cabillaud, épinards, haricots verts, tomates grappes, mozza, pommes... plein de bonnes choses très saines, mais galères à préparer.

Katia attrape un sachet de salade batavia déjà ouvert, un yaourt, et un Coca light. La cuillère ! Demi-tour, le yaourt lui glisse des mains. Heureusement, il n'est pas déchiré. Elle pose le tout sur la table à côté de son PC et reprend la télécommande. « P+ » jusqu'à MCM. Katia pioche des feuilles de salade, Philippe Katerine chante à poil sur la plage :

> *Non, je ne veux plus jamais travailler,*
> *Plutôt crever*
> *Non, je n'irai plus jamais au supermarché.*

---

1. Clique sur « J'aime ».

Plutôt crever
Non mais laissez-moi
Non mais laissez-moi,
Manger ma banane !
Non mais laissez-moi
Non mais laissez-moi,
Manger ma banane tout nu sur la plage

Katia reprend à tue-tête : « laissez-moi manger ma banane tout nu sur la plage » et pianote un message pour Olga sur MSN.

Katia dit :
     Ta bien bouffé ?
Katia dit :
     Moi je kiffe tp Katerine sur MCM.
Katia dit :
     Mate le. C juste énoooooooorme !
Olga dit :
     G pas la télé
Katia dit :
     : − (
Katia dit :
     No soucy, te forwarde le lien ;)
Katia dit :
     http://www.youtube.com/
     watch?v=h3ilLENlQew&feature=related
Olga dit :
     Merki

Bong ! Bong ! ça clignote en bas à droite.

Carole dit :
     T là ?
Carole dit :
     :(

Non. Katia est ailleurs. Elle rêve en mâchant sa

salade machinalement. Un rêve de jeune fille. Elle fait un vœu sur Facebook.

Katia Loneau je veux un prince charmant qui vienne me kidnapper
    13 octobre, à 21 :30 · **J'aime**· **Commenter**

    Nathalie Mermet aime ça

    Nathalie Mermet Et moi aussi, moi aussi !!!! Alors, on veut deux princes charmants pro de kidnapping
        13 octobre, à 21 :48 · **J'aime**

    Diana Conmos Mais ça n'existe pas les filles !!! En plus ça serait ennuyeux……)
        13 octobre, 21 :53 · **J'aime**

    Katia Loneau Mais si ça existe, ton mari ! ; –)
        13 octobre, à 22:02 · **J'aime**

    Diana Conmos C'est vrai qu'il est pas loin mais j'adore ses imperfections aussi !!!! :))))
        13 octobre, à 22:04 · **J'aime**

    Katia Loneau C'est beau ! Surtout ne changez rien, vous êtes beaux
        13 octobre, à 22 :12 · **J'aime**

Personne n'ose dire à Katia que rechercher l'homme idéal est le meilleur moyen de ne jamais le trouver. Nathalie a pourtant lu dans *Psychologies* que la quête du prince charmant est le signe d'une grande angoisse qu'il faut d'abord apaiser. Diana n'a pas dû lire le même article vu son commentaire :

    Diana Comnos chérie, un tiens vaut mieux que 2 tu l'auras !!! On sait ce qu'on quitte, pas ce qu'on retrouve. Cependant étant une très jolie princesse, je

ne doute pas que tu te trouves un prince aussi HOT
que Jonathan Rhys Meyer dans les Tudors. tu as vu…
13 octobre, à 22:36 · **J'aime**
Katia Loneau Oh merci, c'est gentil !
13 octobre, à 22:56 · **J'aime**

Petite discussion de salon à distance qui fait du bien
au cœur sans éreinter. Mais *blong*, *blong*, *blong*. *Wizz*.
Wizz. *Wizz*. Carole s'impatiente.

> Carole dit :
>> !!!
> Katia dit :
>> Yes
> Katia dit :
>> suis toujours là !
> Carole dit :
>> Tu vx pas kon s'appelle ? Marre de taper sur le
>> clavier Je te tel. Te dans mes illimités ; –)

Katia ne veut surtout pas d'une conversation télé-
phonique. Avec Carole, le risque d'enlisement est trop
grand. Au moins avec MSN, elle peut se dégager à
tout moment avec un alibi bidon.

> Katia dit :
>> Px pas g une prez à finaliser pour demain.
> Carole dit :
>> Tu mets vraiment aucune limite dans le taf toi !
> Katia dit :
>> Dsl, fo ke jte laisse, call de ma sœur… biz

23 h 30, ça se calme. Les tchateuses vont se coucher, les facebookeuses deviennent plus rares. Mais
Katia n'a pas sommeil. Un petit tour à la salle de
bains pour se démaquiller, et retour sur le canapé, au
chaud sous sa couette. Ce serait bien d'aller au lit,
mais Katia n'a pas du tout envie de décoller. Elle cale

son coussin sous la nuque et clique sur « Refresh » de la page d'actu de Facebook. Ça ne bouge plus trop. Les amis sont rentrés. Plus rien à se mettre sous la dent.

Pour ne pas rester en rade, Katia se tourne vers la télé. Un bon film, ce serait bien… TF1 *Les Experts*. Déjà vu. Zap *Faites entrer l'accusé*. Chiant. Zap *L'Équipe du dimanche*. Ahaha. Elle passe toutes les chaînes. Rien de bien folichon… Elle a une meilleure idée : se visionner *L'Arnacœur* que lui a téléchargé François, son n-1 préféré. On y va.

Ambiance ciné : Katia éteint la lumière de la table, s'allume une troisième clope et lance le film en mode plein écran.

Elle ne voit que lui : Romain Duris, tellement beau. Il marche dans un aéroport et explique que dans les couples « il existe trois types de femmes : celles qui sont heureuses, celles qui sont malheureuses mais qui assument et puis il y a celles qui sont malheureuses mais qui ne se l'avouent pas ». La scène est géniale. Faut montrer ça aux copines. Pause. Elle filme la scène de son iPhone en rapprochant de l'écran.

Katia adore et publie la vidéo sur Facebook. Nicole, une amie de son ex, rebondit :

Nicole Cirot Qu'est ce qu'il est beau Duris !
Aujourd'hui, 00 :03 · **J'aime**

Une seule réaction. Ça ne contente pas Katia. Et sur MSN ? y a plus personne ? *Blong !* Ah si ! Carole, la fidèle des fidèles, se reconnecte. Katia la prend cette fois :

Katia dit :

A y est !! g fini ma prez ? Et toi t'as eu ton mec ?

Carole dit :

J'ai essaye Mais il répond pas. C un lâche.

Elles tchatent, tchatent, tchatent et tchatent. Longtemps. Carole n'a pas sommeil. Sur le tchat, elle n'a plus la notion de l'heure. Katia, elle, commence à bâiller.

Carole dit :

Tu sais je me demande si les mecs bien ça existe en fait.

Carole dit :

On croit un peu au prince charmant

Carole dit :

Comme des connes

Carole dit :

...

Carole dit :

Ouh, ouh t là ?

Il est plus de 2 heures du matin. Katia s'est endormie sur le canapé. Son PC lui souffle un air chaud et apaisant au visage...

Premiers *pass* sur Meetic

Meetic. 30 millions de profils, 500 000 abonnés. Une révolution au départ. Une manière comme une autre de rencontrer l'âme sœur à présent.

Le fantasme d'un réservoir de célibataires abordables à tout moment en un clic fait rêver. Il paraîtrait

même que « chaque jour, 397 belles histoires commencent sur Meetic[1] ».

Et la tienne, Max, elle commence quand ?

Pour l'instant, Max n'est pas sur Meetic mais chez
lui en train d'ouvrir la fenêtre car ça sent le renfermé.
Son appart a des airs de lendemain de fête mais sans
fête. Journaux par terre, vaisselle de trois jours, pous-
sière et caleçons qui jonchent le sol, ça se voit qu'il
n'a pas accueilli de nanas depuis un moment.

Max ne veut pas d'un énième tête-à-tête avec son
PC ou sa télé. Jocelyn, son meilleur copain, est sûrement partant pour un pot. Il l'appelle :

— Salut, ma poule ! Ça te dit de passer boire
l'apéro ?

— Ça aurait été avec plaisir, mais je vois une loute
de Meetic.

— Encore ! Mais t'arrête pas ! Toujours l'hôtesse
de l'air ?

— Non, une Cubaine de 32 piges. Si tu voyais sa
photo.

— Dis donc, tu rentabilises !

— T'as qu'à faire pareil !

— Pas ma came, ces sites. Je crois au hasard, moi.

— Ouais, OK, et t'as chopé souvent par hasard ?

Non pas souvent. Max est célibataire depuis sa rupture avec Erika, une Colombienne rencontrée lors de

---

1. Source Ipsos : nombre moyen par jour obtenu par
l'extrapolation du pourcentage des anciens clients ayant trouvé
un partenaire en 2008 suite à leur inscription sur Meetic.fr.
Étude réalisée du 9 au 28 février 2009 auprès de 1 000 clients
de Meetic de 25 ans et plus, ayant annulé le renouvellement de
leur Pass en 2008.

sa coopé à Bogotá. C'était il y a deux ans… Depuis, ses amis maqués essayent de le caser, l'invitent à des dîners arrangés qui ne marchent jamais, font sa pub de façon maladroite. Il devient le mec qui cherche et ça, pour trouver, c'est ce qu'il y a de pire.

Il paraît que 25 % des hommes rencontrent l'âme sœur sur leur lieu de travail. Pour Max ce n'est pas gagné. Il est cadre commercial chez Legland Electric et chez Legland, ça sent la testostérone. Sympas, les artisans et les distributeurs électriques, mais un brin machos. À chaque fois qu'une femme apparaît dans les couloirs, elle fait l'effet de Shakira dans une caserne de GI's.

Jocelyn le tanne avec Meetic. Mais Max freine, a du mal à franchir le premier pas. Il paraît que ça marche pourtant. La preuve : Anna, sa bonne copine, a rencontré son mari sur Meetic…

Allez ! Max se décide à y aller, mais « juste histoire de voir ». Meetic.fr… Sur la page d'accueil, il ne peut pas rater la fille qui couvre la moitié de l'écran. C'est une jeune blonde, habillée simplement, la bouche légèrement entrouverte. Ses yeux regardent à droite. On ne sait pas trop si elle sourit. Sous sa photo, un slogan affiché en gros :

À votre tour de faire de belles rencontres !

Pour ça, Max doit s'inscrire. Il active donc les menus déroulants un par un et remplit les champs d'inscription. Je suis « un homme qui recherche une femme » entre « 25 et 35 ans ». Je suis né le « 02 05 1975 ». J'habite en « France » dans le « 75015 ». Un pseudo : Corto99. (Il aime bien le héros de la BD et

c'est ce qui lui vient. Il suit son instinct et ajoute
« 99 » car Corto est déjà pris.) Un mot de passe (on
ne vous le dira pas). Il certifie « être majeur(e) et avoir
lu et accepté les CGU[1] » (mais ne les lit pas). Clic sur
« Inscription gratuite ». C'est fait.

Dès qu'il a cliqué, Meetic lui réclame une nouvelle
série de douze informations, « indispensables »
d'après eux. Et là, Max se croit au commissariat. Vous
avez des enfants ? Vous fumez ? Votre statut ? Célibataire ? Marié ? Pacsé ? Hétéro ? Homo ? Votre trait
de caractère le plus marqué ? Votre profession ? Votre
taille ? Votre silhouette ? La couleur de vos cheveux ?
La couleur de vos yeux ? Vos sorties ?

Des suggestions de réponses sont dans les menus. Par
exemple, Max choisit « Cinéma » et « Concerts » pour
les sorties. Il répond à tout et sans mentir. Des
réponses qui devraient plaire. Il ne fume pas, boit peu
et n'a pas d'enfants. Max active son compte. Son
Meeticname, c'est Corto99.

Pour ajouter une photo à son profil, « ce qui aug-
mentera vos chances », lui précise le site, Meetic lui
propose d'utiliser sa webcam intégrée. Mais ce n'est
pas le moment : petite mine, mauvaise lumière, ça ne
va pas donner grand-chose. Il verra plus tard.

Max va directement voir les filles en ligne. Drôle de
sensation de voir toutes ces vignettes de célibataires
qui s'exposent et le regardent. Une jeune blonde de
24 ans, une de 47 ans aux cheveux gris. Bbbrune,
interlud, Laet-it-be, Jade, Chupachu… À force de faire
défiler les profils, Max tombe sur Lolo75, 27 ans,
blonde, 1,70 mètre, 56 kg, Paris 11, enseignante, sans

---

1. Conditions générales d'utilisation.

enfants. Une bombe. Il faut l'aborder. Clic sur le bouton « Chatter » et là, un message :

Abonnez-vous !
Pour chatter avec Lolo75 et avec tous les membres de meetic qui vous plaisent, choisissez l'un des abonnements proposés ci-dessous(…)

Pour tchater, faut sortir la Visa. Max préfère compléter son profil avant de se décider.

« Qu'est-ce qui est le plus attrayant chez moi ? » Son ex adorait ses cheveux mi-longs. Mais ça ne fait pas très viril. Max regarde ses mains. Les femmes regardent souvent les mains, mais il n'a pas de jolies mains. Max met « le plus beau n'est pas dans la liste ». Ça sonne poétique.

« Mon trait de caractère le plus marqué ? » « Sensible », c'est dans le menu déroulant et c'est classe.

« Mon aspect physique ? » « Plutôt agréable à regarder. »

Sinon « la fumée ne le dérange pas », il « mange de tout », aime « les jeux vidéo, le cinéma, le sport et les glaces ». Et, bien sûr, il est « assez romantique ».

« Quelques mots sur moi » ? Ça le soûle.

Max regarde son profil pour voir ce que ça donne et là, ne comprend pas. Il a été bombardé de visites, flashé une dizaine de fois. Dans sa messagerie, des messages savoureux du style : « Une inscrite s'intéresse à votre profil. » « Coquinette a flashé sur vous. » « Lilitta vous a envoyé un message. » « C'est le délire ce site ! » s'exclame le petit nouveau. En fait, ce que Max ne sait pas, c'est que Meetic positionne les nouveaux inscrits en tête de gondole. Pour les femmes connectées, sa fiche clignote dans

toutes les sélections : les newsletters « Des célibataires à rencontrer », les « À découvrir » sur la page
d'accueil…

Une petite fenêtre en bas de son ordi apparaît ! *Lovelyrita est en train de visiter votre profil !* Hein ! Maintenant, là !? L'impression d'être tout nu, alors qu'il n'a
même pas mis de photo. Il clique sur Lovelyrita mais
idem la page « PaymentsMeetic.fr » s'affiche.

Impossible de résister. Toutes ces filles qui l'attendent. Il sort la Carte bleue et s'offre son premier Pass.
Bah, 30 €, c'est deux plats du jour à Paris. Il fera gaffe.

Max se frotte les mains, boit une gorgée de 1664.
Lovelyrita est déconnectée. Tant pis. Une fille à la fois.
Il réfléchit à ce qu'il va dire à Lilitta. Deuxième gorgée
de bière. Mais d'abord, mettre une photo.

Max hésite à utiliser celle de son profil Facebook.
Aucune envie que ses amis le voient en train de dra-
guer sur Meetic. Il en prend une autre et la soumet
aux modérateurs du site.

En attendant, il souhaite en savoir plus sur Lilitta.
Elle se décrit comme une « jeune femme élégante sou-
haitant rencontrer un gentleman sérieux ! » Parfait ! Max
s'estime plutôt courtois et prévenant. Le reste de son
annonce lui plaît bien :

Le monde est un théâtre, mais la pièce est mal distribuée.
Alors, le casting est lancé, messieurs, je vous attends, intré-
pides et sincères !

Ses hobbies : « Théâtre et voyage ». Max va la bran-
cher dessus.

>   Corto99 dit :
>   Bonsoir Lilitta ! J'ai envie de participer au casting
>   *(Votre message est en attente de lecture)*

151

« En attente de lecture » ? Comment ça ? Je ne lui ai pas écrit un roman pourtant ! » Max s'impatiente, se demande si ça marche et au bout de cinq minutes la relance :

> Corto99 dit :
> Pas envie d'engager la conversation ? Vous aimez voyager où ?
> *(Votre message est en attente de lecture)*

Dix minutes d'attente. Puis « Votre message est en attente de lecture » disparaît. Et Lilitta aussi : « Lilitta est déconnectée de Meetic Messenger »

Max ne comprend pas cette attitude, mais bon, c'est la première. Retour sur les fiches en ligne et clic sur les jolies filles. Comme Nina, une brune de 29 ans, cadre, visage fin, jolis yeux verts.

> Corto99 dit :
> Bonsoir. Je suis nouveau. Ça te dirait de faire connaissance ? Ma photo n'est pas encore validée, mais si tu le souhaites, je peux te l'envoyer.
> Nina_b_32 dit :
> Ok. Nina@hotmail.fr

Réactive au moins, Nina ! Max, tout excité, lui envoie direct sa plus belle photo, mais le feedback se fait attendre. « Trop mignonne ! » se dit Max en parcourant sa fiche.

> Corto99 dit :
> Alors ? tu l'as reçue ?
> Nina_b_32 dit :
> Oui, t'es pas mon genre de mec. Bonne continuation dans tes recherches

Corto99 dit :
    C'est brutal. On peut quand même discuter un peu, non ?
Nina_b_32 dit :
    Non. Je suis franche et direct et pas envie de perdre mon temps.
Corto99 dit :
    Mais tu vas pas t'arrêter à l'apparence d'une photo
Nina_b_32 dit :
C'est bon !
Corto99 dit :
    Quoi, c'est bon ?
(Nina_b_32 vous a blacklisté.)

Bloqué en un clic. Clapet coupé. Max ne peut plus lui parler.

Max tente alors de tchater avec les filles qui ont visité son profil et qui lui paraissent bien mais ça ne répond pas. Il ignore qu'une fille, sur Meetic, est abordée en moyenne par trente mecs en même temps.

Au bout de deux heures, il s'impatiente, devient moins inspiré. Il n'étudie plus les profils, regarde juste si la photo est potable et envoie un petit « slt », un « bonjour » ou un « coucou ». Le nombre de ses touches en diminue d'autant. Max se lasse, s'étire, et s'endort.

Chou blanc pour aujourd'hui.

Les soirs suivants, Max change de tactique. Quand une fille lui plaît, il la flashe[1] puis l'ajoute à ses favoris. Il se constitue ainsi une réserve de vingt belles plantes à qui il envoie un e-mail type.

---

1. Le flash, l'option des timides ou comment dire à une femme qu'elle est belle sans avoir à lui parler.

Bonjour [*pseudo de la belle plante*]

J'ai beaucoup apprécié la visite de votre profil, des points similaires et intéressants me font croire qu'ensemble autour d'une discussion animée nous pourrions en trouver d'autres.

Tout cela m'incite à vous inviter à échanger autour d'un tchat MSN. Mon pseudo : Corto99@hotmail.fr

J'espère vous lire bientôt.

Max

Trois jours passent et pas un retour. « Je ne dois pas avoir la bonne tronche… ou alors c'est mon profil qui est trop sérieux », se désole Max.

Avant de se déconnecter, il vérifie une dernière fois sa messagerie instantanée et découvre que « Lunapa est en attente de tchater avec vous ! ».

Max est tout fou. C'est la première fois qu'une fille l'accoste. Il en tremble et lui répond direct sans même regarder sa fiche.

> Corto99 dit :
>> Bonsoir ça va ?
> Lunapa dit :
>> Oui, en pleine forme et toi ?
> Corto99 dit :
>> Ça te dérange de m'envoyer une photo pour que je puisse mettre un visage sur ton profil ?
> Lunapa_89 dit :
>> Non, donne moi ton e-mail.

En attendant, Max mate son profil : 30 ans, 1,63 mètre, yeux marron, brune, ingénieur… OK, mais rien sur sa silhouette, ni sur son poids, c'est louche. L'annonce de Lunapa confirme sa crainte.

Bonjour à tous,

Je suis une femme ronde et je recherche l'amour avec un grand A s'il existe toujours… Célibataire depuis peu, je m'essaie à ce nouveau style de rencontre. Aussi peut-être le trouverai-je sur internet !! Je ne suis pas parfaite, mais personne ne l'est et encore heureux car sinon on s'ennuierait à la longue. Alors à vos claviers si vous désirez faire plus ample connaissance et si vous avez le même souhait, la même attente que moi pour un futur à 2 rempli de bonheur, de joie et d'amour en prime !!!!!!!

@u plaisir de vous lire très prochainement j'espère…

Max trouve que ça se présente mal mais lui envoie quand même son adresse mail.

Lunapa dit :
    Je préfère te prévenir je suis une femme avec des rondeurs, j'espère que ce n'est pas bloquant pour toi.
Corto99 dit :
    Non, non je n'ai pas de critères ce qui compte pour moi c'est le feeling et la beauté intérieure.

Max aime la beauté intérieure jusqu'à un certain point… Il reçoit la photo de Lunapa par e-mail. Effectivement, elle est ronde.

Lunapa dit :
    Alors ? Tu l'as reçue ?
Corto99 dit :
    Oui, t'as de jolies lunettes et un joli sourire.
Lunapa dit :
    Merci :)

Max tchate encore cinq minutes avec elle, histoire de ne pas la blesser, puis trouve une porte de sortie :

155

Corto99 dit :

> Dsl, faut que je te laisse, j'ai un coup de fil de
> mon frère. Biz et à bientôt.

Lunapa va voir qu'il est toujours connecté s'il reste à tchater avec d'autres femmes. Pas très sympa pour elle… il se déconnecte.

Le lendemain soir, en rentrant chez lui, Max se retrouve serré dans l'ascenseur avec deux mecs et une nana, bouteilles à la main, la trentaine péchue.

— Quel étage ?

— Comme vous, cinquième.

— Ah ! OK, tu vas à la soirée de Jérôme ?

— Non, non, j'habite là.

Jérôme, c'est son voisin de palier. Un gars blond et massif qu'il croise parfois, mais sans lui parler.

Arrivé chez lui, Max se met une barquette de Riga-toni-Jambon au micro-ondes et s'allume Sports+. Les cris de Serena Williams à la télé se mêlent à *Bésame mucho* hurlé par les fêtards d'à côté. Grand moment de solitude.

Heureusement, il y a Meetic. Y a qu'à cliquer. Ce soir, il y en a bien une qui va mordre. Solanna par exemple. Elle recherche « un mec drôle et sympa pour partager sa vie ». Max lui envoie un message, mais elle ne répond pas. Pourtant, Max est drôle et sympa.

Max enchaîne sur Papillon, Ragazza et Angie, trois femmes « plutôt agréables à regarder ». Zéro retour. Même pas un signe. Ça lui rappelle sa recherche d'emploi. Des journées passées à écrire des lettres de motivation qui restaient le plus souvent sans réponse.

À la fin, il se demandait s'il était fait pour le marché du travail.

Et ce soir, il se demande s'il est fait pour le marché de l'amour.

« Le feeling ça marche à tous les coups ! »

Il y a toujours eu des dragueurs plus aguerris que les autres, des « pros » aux phrases toutes faites et aux approches millimétrées. Mais aujourd'hui, avec les sites de rencontres, ça se professionnalise, seule la technique compte, les prédateurs ont un boulevard devant eux.

Vous pouvez être beau, riche, et intelligent, si vous êtes modeste, vous n'avez aucune chance. Seule solution : vous faire coacher.

Ce soir, c'est Jocelyn – deux rencontres par semaine et plus de trente meetic girls dans son lit depuis un an – qui s'y colle pour son ami Max (douze chats et pas un seul rendez-vous depuis deux mois).

— Alors, voyons voir ton profil d'abord.
— C'est quoi ton pseudo ?
— Corto99.

Jocelyn rentre le pseudo. Et Max tape son mot de passe en le cachant avec sa main. Sa fiche apparaît :
— Ouh là ! C'est quoi cette photo ?
— Bah, c'est moi.

— T'as l'air tout tristoune. Je suis une nana, je zappe direct. T'as rien de plus sympa ?

— Euh… Faut que je regarde.

Jocelyn parcourt le reste de son profil.

— 1,78 mètre ?

— Bah oui, c'est ma taille sur mon passeport !

— Mets 1,81 mètre. La plupart des nanas filtrent les mecs de moins de 1,80 mètre.

— Mais elles verront bien que je les pipeaute si je les rencontre !

— Ce qui compte, c'est d'obtenir une « date ». Après, tout est possible. Tu mettras des talonnettes !

Max préfère jouer la sincérité. Réservé de nature, il s'est déjà fait violence en exposant sa bobine à des hordes de filles qu'il ne connaît pas. Alors mentir…

— Et enlève « Jeux vidéo » de tes hobbies ! Ça fait geek. Mets plutôt « Lecture » ou « Théâtre ».

— Ben oui, mais le problème c'est qu'en ce moment je n'ai plus de temps de lire…

— On s'en fout… Faut te vendre, mon pote !

Max est têtu et ne change rien. Jocelyn soupire.

— Tu fais comme tu le sens, mais tous les mecs bidouillent leur profil. Si tu veux partir à la guerre tel le chevalier blanc, courtois, modeste et honnête, pas de souci. Mais tu reviendras bredouille.

Jocelyn part à la cuisine chercher des olives. Il revient avec du saucisson et deux verres de pastis :

— Bon ok, c'est toi le pro, je fais comme tu veux.

— Je te montre Jocelyn en live dans une session de tchat ?

— Ok, je suis prêt !

— On y va. Je me reconnecte avec mon profil. Ça me ferait trop zarbi de tchater avec le tien.

— Ok, fais voir ce que t'as mis.

Jocelyn tape son mot de passe et sa fiche apparaît.

— Dis donc, tu te fais pas chier toi. Elle date de quand ta photo ? T'étais étudiant ou quoi ?

Jocelyn terminait ses études… Depuis, il a un petit bidon de bière, les tétons un peu gras et les cheveux poivre et sel.

— Faut mentir, je te dis. Mais concentre-toi.

Jocelyn a une sélection de critères toute faite : femmes 25-35 ans, moins de 10 km Paris 18e. Clic sur « Rechercher ». Une batterie de femmes s'affiche à l'écran. Sept pages de douze nanas chacune, soit quatre-vingt-quatre nanas connectées à 21 h 22 un jeudi soir.

— Tu vois là, j'ai tapé large. Après, dès que j'en vois une canon comme Choupine, je clique dessus. Et si ça le fait, je lui envoie direct un message.

— T'attends pas sa réponse ?

— Non j'enchaîne sur une autre pour ne pas poireauter. Je joue le volume.

Choupine, Solannah, Manouille… en une minute, Jocelyn a déjà envoyé trois messages. Trois hameçons lancés et il est déjà sur la suivante, une certaine Nanoune dont il vient d'apercevoir la fiche.

— Tu vas aussi envoyer un message à Nanoune ?

— Ben oui, j'aime bien les brunes aux yeux verts. En plus, elle est bien gaulée : 1,69 mètre pour 56 kg. Pas mal tout ça, non ? Allez c'est parti !

Jocelyn retape son entame habituelle :

> Sensual_a_320 dit :
> Bonsoir serais ravi de faire votre connaissance.

— Tu lui écris le même truc qu'à celles d'avant ?

— Ouais, et je commence toujours par vouvoyer la nana pour qu'elle se sente respectée.

— C'est pas très original.

— Non, je suis courtois, c'est tout. Mais tu sais, rien qu'avec cette phrase, tu te démarques de tous les mecs qui ne savent pas aligner trois mots de français sans faire de fautes et écrivent LOL tous les deux mots.

— Ok, mais qu'est-ce qui fait qu'elle répond alors ?

— Elle mate ta photo, ton poids et ta taille. Et éventuellement ton annonce. C'est tout.

Quinze minutes de passées. Jocelyn n'a toujours pas de réponse à ses quatre messages.

— Ça mord pas beaucoup dis donc ? sourit Max.

— T'affole pas, ça va finir pas tomber. Parfois elles sont connectées mais pas derrière l'écran. En attendant, on va aussi taper dans les profils sans photo.

— Ah ouais ? tu regardes aussi les fiches sans photo ?

— Yes, c'est le bon plan. T'as un bien meilleur taux de retour car elles ne sont pas harcelées comme les nanas jolies avec photo.

— Mais t'as pas peur de tomber sur des thons ?

— Dans les profils sans photo, t'as aussi des canons qui jouent la discrétion.

— Ouais OK, mais tu prends un risque quand même.

— Pas trop car dans le tchat, je demande très vite une photo. Pour ça, j'ai ma formule habituelle : « Ça vous dérangerait de m'envoyer une photo pour que je puisse mettre un visage sur notre conversation ? »

Ting discret. Alerte d'un nouveau message :

160

— Ça y est ! Ça mord.

> Choupine dit :
>> Bonsoir

— C'est Nanoune ?

— Non, Choupine !

— Fais voir sa fiche !… Dis donc, t'es pas difficile !

— Je dirais même plus « bien au contraire ! » Ces filles-là sont souvent des bons coups.

Jocelyn démarre son tchat.

> Sensual_A_320 dit :
>> Bonsoir. T'es depuis longtemps sur meetic ?

— Je commence souvent par ça. Ça installe l'ambiance, explique Jocelyn à Max.

> Choupine dit :
>> J'y étais y a trois ans puis suis partie et suis revenue y a un mois
> Sensual_a_320 dit :
>> T'as fait de belles rencontres ?
> Choupine dit :
>> Non sinon je serais pas là lol !!
> Sensual__a_320 dit
>> T'es originaire de Paris ?

— Super original !

— Je demande souvent ses origines à la nana, comme ça, derrière, si elle évoque un truc lié à son enfance, je peux m'engouffrer dans l'émotion.

> Choupine dit :
>> Non d'Avignon je suis à Panam depuis trois ans pour le taf

Sensual_a_320 dit :
Moi je suis de Marseille mais j'ai vécu à Paris et trois ans au Venezuela.

— À tous les coups, je place le Venezuela pour montrer mon côté baroudeur.

Choupine dit :
Ah ouais ! toujours voulu y aller !
Sensual_a_320 dit :
Alors prépare tes valises, on part demain !
Choupine dit :
L'OL ! Avec plaisir. Mais faudrait que je te voie avant.

En parallèle, Jocelyn voit que Solannah s'est connectée.

— Elle, je la sens mûre. J'ai déjà tchaté deux fois avec elle la semaine dernière… C'est la bonne technique : tu tchates un soir avec elle, tu la relances le lendemain soir style « J'ai été ravi de faire ta connaissance ». Après tu fais le mort quatre-cinq jours histoire de jouer le type intéressé mais pas trop. La troisième fois, tu proposes cash un rendez-vous.

Sensual_a_320 dit :
Salut Sandra. Ça va ?

— Très important : se souvenir de son prénom. Tu le notes, tu te fais un tableau Excel, tu te démerdes comme tu veux mais tu ne l'oublies pas.

Solannah dit :
Ça va très bien et toi ?
Sensual_a_320 dit :
La pleine forme et je suis très content de te retrouver ce soir.

— Et là, t'y vas. Même si t'es claqué, même si t'as pas trop le moral, tu te dis que t'as la pêche et tu fonces.

Jocelyn jongle avec Solannah, Choupine et Pupuce. Il passe d'une conversation à l'autre. Il fait le coup du feeling à Solannah :

> Sensual_a_320 dit :
> Je n'aime pas trop m'embourber dans le virtuel. Je préférerais qu'on se rencontre rapidement de visu pour voir si le feeling passe.

— Le feeling, ça marche à tous les coups.

> Solannah dit :
> Oui moi aussi je crois beaucoup au feeling ; −)
> Sensual_a_320 dit :
> Je te propose qu'on se retrouve autour d'un verre vendredi soir à 21 h au Havana Café
> Solannah dit :
> Pourquoi pas ?
> Sensual_a_320 dit :
> En plus je suis sûr qu'on aura au moins bcp de sujets de conversations. Faut que te laisse là mais je te donne mon portable 06 25 45 26 12 et je te dis à vendredi soir. Bisous et fais de doux rêves…
> Solannah dit :
> Ok 06 21 52 65 21 Bisous et bonne nuit à toi aussi ;))

— Putain ! T'es efficace, toi !

— Je tente le coup, je propose un rendez-vous. Après ça passe ou ça casse ! Mais faut arrêter avec les « si ça te dit », « si t'es dispo », « excusez-moi de vous demander pardon »… Les nanas aiment bien qu'on prenne les choses en main.

Jocelyn tchate avec Pupuce, Choupine et Nanoune en simultané. Complètement absorbé, il ne calcule plus Max.

— Bon, je vais te laisser, Jocelyn.

— Ouais, OK, tiens-moi au courant pour tes conquêtes !

Jocelyn ne se lève même pas pour raccompagner son copain à la porte.

Sur son Velib', Max a le blues. Au collège, c'était lui le garçon discret et élégant dont les filles tombaient amoureuses. Pas Jocelyn le fonceur. Aujourd'hui, le romantique est synonyme de *loser* bon à compter les points de son ami d'enfance sur Meetic.

Ne déprime pas, Max ! Si tout le monde se survend, la rencontre est forcément décevante. Les seules rencontres qui donnent une suite heureuse[1] sont celles de losers comme toi incapables de mentir.

Rencontres *In Real Life*

Petit rappel pour ceux qui prennent l'affaire en cours. Max était célibataire et galérait sur Meetic. Il l'est toujours. Mais maintenant que son ami Jocelyn

---

1. La seule étude complète sur les rencontres via Internet a été menée aux États-Unis par la sociologue Eva Illouz. Elle montre que les rencontres les plus fructueuses sont celles où chacun ne s'est pas survendu mais sous-vendu. Ce n'est en effet qu'à cette condition que le moment de la rencontre *in real life* n'est pas une déception mais une bonne surprise partagée…

l'a coaché, Max n'a plus d'excuses, il a toutes les techniques pour assurer.

À lui de jouer.

Première étape : reprise de son profil. Max commence par changer sa taille. 1,81 mètre au lieu de 1,78 mètre. Pour son poids, Max ne ment pas vraiment. Il rentre juste un peu le ventre et met quatre kilos de moins. Deuxième modification : sa photo. Jocelyn a raison, il n'a pas l'air très péchu dessus. Après un long surf sur ses albums, il en trouve une qui date d'un an où il a un sourire avenant et une posture dynamique.

Ensuite, Max relit son annonce :

Je suis un mec simple, gentil, sincère, qui cherche à trouver une fille avec qui je pourrais grandir, construire ma vie… partager de bons moments, faire d'elle une princesse la rendre heureuse comme je pourrais faire le mieux possible.

Trop gnangnan, pas accrocheuse. Max repense à celle de Jocelyn :

Je suis un produit mâle
Mais pas de définition trop hâtive, pas de manuel d'utilisation, pas de mode d'emploi… produit spécifique
Gare à toi si tu prends ce produit car on prend au complet tout le package avec les qualités et les défauts

Ce que je cherche chez une femme :
qu'elle soit attentive au marketing sensoriel !! ;)

Dans le même genre, il pourrait se fabriquer une annonce sous forme de CV. C'est du boulot, mais Max part de cette idée. Il efface, reprend, copie un paragraphe, en colle un autre. Et finalement, ça donne ça :

Jeune homme célibataire et dynamique, conçu en 75, basé à Paris et travaillant à la Défense recrute jolie demoiselle célibataire âgée entre 30 et 50 ans.

Poste à pourvoir à plus ou moins long terme en CDI à temps partiel dans un premier temps, débouchant sur un plein temps en fonction des résultats obtenus.

Qualités requises : patience, vie saine et équilibrée, précision sur ses intentions futures et situation stable.

Compétences souhaitées : savoir apprécier la danse, aimer les sorties, le sport comme les balades à vélo et la bonne cuisine.

Salaire : 1001 bisous évolutifs vers + si affinité.

Cause de licenciement pour faute grave : manque de respect des conditions contractuelles et des clauses de non concurrence.

Merci d'adresser lettre de motivation + CV par e-mail. Toute candidature sera étudiée et toute absence de réponse devra être considérée comme un rejet.

Cordialement !!!

Une annonce qui se démarque tout en restant dans le moule. Exactement ce qu'il faut. Les Meetic girls devraient s'arrêter dessus. À Max ensuite de faire naître chez elles « un embryon de feeling », selon l'expression consacrée de Jocelyn.

Après parution de sa nouvelle annonce, le trafic sur son profil augmente. Carpediem, Kikounette, et Ambre… En tchatant avec ces visiteuses du soir, Max applique les conseils de coach Jocelyn. Il commence par « Bonjour je serais ravi de faire votre connaissance » enchaîne avec « t'es depuis longtemps sur Meetic ? » et surtout joue le volume.

Résultats : taux de retour de 1 sur 4. En progrès ! Stéphanie, une femme toute fine aux cheveux châtain clair, répond à sa candidature. Max la branche sur l'Inde, les intouchables, le Taj Mahal, le Gange… Stéphanie aimerait « trop découvrir la première démocratie. Il doit y avoir quelque chose à apprendre d'eux ».

Comme le lui a appris Jocelyn, Max temporise, la laisse et ne lui réécrit que le lendemain. Savoir se faire désirer. Puis, il prend les choses en main la semaine d'après. Il lui propose un RV cash au Calypso, vendredi soir, 19 heures.

« Faut choisir pour elle. Si tu lui laisses l'initiative, rien ne se fera », lui disait Jocelyn. Ça paraissait un peu directif à Max, mais ça marche. Pas farouche, Stéphanie se déclare « partante ».

Max tente dans la foulée la technique du RV ferme avec Carmen, une brune d'origine espagnole avec qui il a tchaté il y a une semaine.

> Corto 99 dit :
> > Je te propose qu'on se retrouve au Calypso samedi soir à 19 h.
> Carmen dit :
> > Je trouve ça un peu rapide. J'aimerais qu'on se connaisse mieux avant.

Mauvais timing. « Pas grave, faut jouer le volume », lui disait Jocelyn.

Max zappe sur Silvia qui avait répondu à son message d'approche. Elle est blonde et corse. C'est rare. Max l'aborde sur son origine avec le classique : « T'es originaire d'où ? » Elle lui parle de son enfance à Porto-Vecchio, il s'infiltre dans cette brèche et en vingt minutes réussit l'exploit de lui donner RV au Calypso samedi. Yes ! ! !

Vendredi soir. *D-Day*. C'est le jour de sa première rencontre avec une Meetic girl (Stéphanie). Max enfile son jean Diesel, sa plus belle chemise Kenzo et ses Church noires bien cirées. Un pschitt de parfum Hugo Boss devant la glace. Prêt pour son RV au Calypso, Paris 14.

Dans le métro, à trente minutes de la rencontre *In Real Life*, Max est dans un état bizarre. Il va rencontrer une fille qu'il connaît à peine. Il n'est même pas sûr de la reconnaître. De quoi vont-ils parler ? De voyages et d'Inde comme sur le tchat ?

Max accélère le pas. À 20 heures pétantes, il arrive devant le Calypso et commence par dévisager les femmes en terrasse. Aucune ne correspond à la photo de Meetic. Un petit tour à l'intérieur du bar. Non, Stéphanie n'y est pas. Sur la diagonale opposée, une jolie brune accroche son regard. Mais ça ne peut pas être elle. Elle est d'origine asiatique…

Les minutes passent. Max a l'impression que tout le monde l'observe. Il tripote son téléphone qui se refuse à sonner, mais lui indique l'heure : 20 h 15. Ah ! Au fond, une brune aux cheveux longs semble attendre quelqu'un.

Max l'accoste :

— Bonsoir… Excusez-moi… Euh, Stéphanie ?

— Non pas du tout, répond-elle fraîchement.

— Désolé ! je vous ai confondue avec quelqu'un d'autre.

Max ne sait plus où se mettre. Le serveur, un grand chauve au nez de boxeur, a observé la scène et semble compatir.

20 h 30. Ça vire au lapin. Stéphanie avait pourtant

l'air sincère sur le tchat quand elle prétendait avoir « hâte de le rencontrer ».

20 h 40. Là, c'est mort. Max rentre. Elle a peut-être envoyé un mail. À peine arrivé chez lui, il se précipite sur Internet. Mais Stéphanie n'est ni sur Meetic ni sur MSN. Alors, il lui envoie un message :

Je t'ai attendue ce soir au Calypso. Tu as dû avoir un contretemps. Hope rien de grave. Bises.

Le lendemain matin, il reçoit un message de Luciole-32. C'est Stéphanie.

Dsl pour hier soir Mais contretemps grave. Y a eu un décès dans ma famille. t'expliquerai. Biz

Ça sent l'alibi bidon, mais impossible à vérifier. Max canalise son énervement et répond :

Ok pas de souci Stéphanie. Toutes mes condoléances. Je pense à toi. Biz

Ils ne se parleront plus jamais.

Heureusement, Max a sa deuxième « *date* » dès ce soir avec Silvia au Calypso. Même lieu, même heure… même lapin ?

Il préfère rester positif. Elle va venir. Les Corses, ça tient parole. En plus, sur la photo, elle est bien plus jolie que Stéphanie. Tellement bien qu'il a envie d'en causer avec son « coach » et ami Jocelyn. Il l'appelle.

— Salut, ma caille, la forme ? répond Jocelyn. Alors ! T'en es où sur Meetic ?

— Ça commence à mordre ! Ce soir, j'ai rendez-vous avec une certaine Silvia.

— Top ! T'assures ! Tu la vois dans un bar ?

— Oui, au Calypso.

— Ok. Juste un dernier conseil : pense à la technique de la main. En pleine discussion, tu prends délicatement sa main tout en la regardant. Et après hop ! Emballé c'est pesé !

Ce dernier conseil met Max en panique. « C'est quoi le bon *timing* pour attraper une main ? Et si elle la retire je fais quoi ? »

Avant son rendez-vous, Max regarde sur Internet à « technique de la main drague ». La technique de Jocelyn porte un nom : la *kino*. Un art de toucher sensuel qui permet de créer une connexion avec une femme. Tout un *process* que l'on nomme *kino escalation*. Une progression sensuelle pour pénétrer l'intimité de sa cible de la main jusqu'au baiser, la dernière étape étant appelée le *kiss closer*. Entre-temps, ça passe par des alternances *push and pull*, une variante du célèbre : « Suis-la, elle te fuit, fuis-la, elle te suit. »

Max s'emmêle, s'imagine des scénarios contradictoires. Sur le site artdeseduire.com, les conseils sont pourtant limpides : « Touchez-lui la main, frottez son bras, ses cheveux, ses épaules. Et surtout ayez l'air naturel et soyez subtil ! »

Max arrive à 20 h 02 au Calypso, des kinos plein la tête. Le serveur le reconnaît et esquisse un sourire. Max jette un regard panoramique. Pas de Silvia.

20 h 12. Max hésite à partir. Aucune envie de poireauter comme hier au milieu du bar. Il se met au comptoir et commande un pastis quand son téléphone bipe. Texto de Silvia : DSL suis à la bourre arrive dans 10 mn Biz

Marrant. On dirait qu'elle écrit à un ami. C'est

peut-être sa façon à elle de dédramatiser le côté rituel de ces rencontres.

20 h 25. Silvia n'est toujours pas là. Max s'impatiente.

20 h 30. Il aperçoit au bout de la rue une silhouette blonde. Clac. Clac. Clac. Ses talons hauts qui accélèrent sur le bitume ne l'empêchent pas de maintenir son buste droit et son port altier. Ça pourrait être elle. C'est elle ! Elle le salue de loin. Arrivée à hauteur, elle lui fait la bise et s'excuse tout sourire :

— Vraiment désolée ! Le périph était complètement bouché vers la porte d'Asnières.

— Pas de souci. J'ai bien eu ton texto.

Max commande deux verres de vin blanc. Le serveur les leur apporte d'un air complice. Silvia lève un toast : « À notre rencontre. » Max suit le mouvement. Il trinque, sa main tremble. Silvia l'a sûrement vu. Il était plus à l'aise derrière son ordi. Là, l'émotion se voit direct. Max ne pense qu'à ça.

Silvia commence par les prérequis :

— Pour être clair, Max, tu recherches quoi sur Meetic ?

— Heu… Bonne question. Plutôt une histoire sérieuse.

Avant Meetic, il aurait dit « une histoire d'amour », maintenant, il dit « sérieuse ». Quand c'est prévu pour durer, on dit « sérieux ». Une relation sérieuse, ça devrait la rassurer.

— Et toi ?

— Moi je cherche un mec qui ne repense plus tous les quatre matins à son ex et qui sait où il va.

Côté ex, ça va. Sa rupture remonte à cinq ans. Côté gouvernail, c'est nettement moins clair.

En parlant, Max avance son genou gauche et effleure sa jambe volontairement. Au même moment, Silvia pivote son tabouret, se détache et effectue un croisement de jambes. Refroidi, Max n'enchaîne pas. Il vient de rater la première marche de la *kino escalation*. Le *kiss closer* est bien loin.

Ils restent à parler encore bien trois quarts d'heure, mais à minuit trente, Silvia propose de lever le camp.

— T'es venu comment ? En métro ?

— Non. En Velib'.

— Tu veux que je te ramène ? Je suis en caisse.

— Ok. Si ça ne te fait pas trop un détour… Je veux bien… J'habite près des Buttes Chaumont.

— Aucun souci. Je peux passer par là. Allez, c'est parti !

Avec sa conduite sportive, ils sont en vingt minutes avenue Laumière, à deux pas de la rue de Max, la rue du Rhin.

— Et là, je vais où ?

— Euh… là ! à droite à droite !

Silvia pile au dernier moment.

— Désolé, je rêvassais… Et là, c'est au numéro 18… Là ! à cinquante mètres juste à côté du bar.

Silvia s'arrête en double file avec les warnings. C'est le moment ou jamais de lui proposer un dernier verre chez lui. Ou alors de l'embrasser. Ni l'un ni l'autre, Max s'avance pour lui faire la bise.

— Bon, bah à bientôt.

La voiture de derrière leur fait des appels de phares. Il n'ose pas lui demander de se garer.

— Ok, conclut Silvia. Je file, je gêne.

— Ciao, à bientôt.

— Oui, ciao.

Devant la porte de l'immeuble, Max se retourne pour voir si Silvia lui jette un dernier regard. Comme dans les séries. Mais avec une voiture qui la colle, c'est dur. La petite Twingo est déjà à cent mètres.

Dans l'ascenseur, il se refait la soirée. Analyse à chaud. Tout est confus. Il aurait dû l'embrasser. Mais en même temps peut-être pas. Il se serait peut-être pris un râteau. Quoique. Pas certain. Elle avait l'air d'accrocher. « Je ne suis peut-être pas assez offensif ! » conclut Max en glissant la clé dans la serrure.

Tout a été trop vite. Il ne s'était pas imaginé en situation d'attaquer dès le premier soir. Silvia est peut-être vexée qu'il n'ait rien tenté. Il aimerait en savoir plus mais ne sait pas trop comment renouer. Deux jours plus tard, il se décide à lui écrire sur Meetic.

J'espère que tu vas bien depuis samedi soir. J'ai été ravi de faire ta connaissance. Ça serait sympa qu'on se revoie. Bises.

Le lendemain, Silvia lui répond :

Salut Max,
Oui tout roule pour moi. Moi aussi j'ai trouvé ça sympa samedi soir. Si tu veux on se revoit avec plaisir en amis... Biz

En amis ? Max a sûrement laissé passer sa chance. Silvia le cantonne dans la *friend zone* bien malgré lui. Max doit-il persévérer ? Devenir ami pour devenir amant ? Jocelyn lui dirait que ce genre de plan marche rarement.

Il se renseigne sur artdeseduire.com : « Il est plus facile de séduire une nouvelle fille que d'essayer de corriger les erreurs commises avec votre cible actuelle. » Max a compris.

Alt Tab. Meetic / Youporn...

Always connected

Aujourd'hui, les histoires d'amour se construisent à quatre. Elle, lui, leurs téléphones.

SMS. MMS. Appels. Répondeurs. Être en couple, c'est être ensemble même quand on est loin. Se voir n'est plus suffisant, il faut rester connecté.

Always.

7 h 45 – Lucille est en retard pour partir au bureau : « Mais il est où, mon téléphone ? » Elle le fait sonner avec son fixe sans fil. Dans la salle de bains, son Nokia vibre sous sa serviette orange.

Métro. Miromesnil-sous-terre. Les usagers se déversent dans les canalisations des correspondances puis s'agglutinent dans les rames. Il est 8 heures, Paris s'éveille, les portables émergent doucement. Lucille bien calée contre la porte du fond rédige un petit texto à Romain, son chéri : Une petite pensée pour toi. j'espère que ça va. T'embrasse.

Ces petits SMS, Romain et Lucille s'en envoient tous les jours depuis leur rencontre, il y a un an. Ils ne vivent pas ensemble et ne se voient pas tous les soirs, alors, un petit texto, ou plusieurs, ça donne l'impression que l'autre est avec vous. Lucille aime avoir son Romain au bout du SMS.

Oui, mais là, il ne répond pas. Par moments, elle croit que son téléphone vibre. Elle le sort, le déverrouille et le verrouille. Mais rien. Dans les couloirs de Denfert-Rochereau, Lucille regarde l'horloge de son portable. Ça fait plus d'un quart d'heure ! Suffisant pour qu'elle s'agace et se fasse des films. Pourquoi le quart d'heure ? C'est comme ça, c'est psychologique.

Arrivée dans l'open space, Lucille pose son téléphone juste à côté de son ordinateur pour ne pas rater une éventuelle vibration. Mais pas de réponse de la matinée sauf à 10 h 42 où ça a vibré. Elle a sursauté, mais ce n'était que son père.

Pause dèj, Lucille espère un signe. À midi, il devrait bien pouvoir se dégager trente secondes pour lui écrire trois mots ! Mais rien.

14 h 30. Comité d'investissement mensuel sans encombre, mais toujours sans nouvelles...

19 h 30, Lucille ouvre la porte de chez elle, l'odeur de bouffe décomposée la prend à la gorge. Le cabillaud d'hier soir... Elle descend les poubelles, portable en poche, au cas où Romain la biperait...

En remontant, elle a une illumination. Mais oui. Bien sûr. Il est au pot de départ de son collègue Samy. C'est pour ça qu'il n'appelle pas. Elle décide de lui envoyer un petit signe et commence à rédiger un premier SMS autour de ça : C'est bien ce soir le pot de Samy ? xxx, mais l'efface et écrit à la place : T'as bien ton pot ce soir ?? T'M.

« Oh non et puis je l'envoie pas », se dit Lucille en enregistrant le message dans ses brouillons. Elle hésite à composer le numéro de Romain, mais pour l'instant préfère attendre de ses nouvelles.

Lucille manque de spontanéité avec son portable. Elle ne sait plus si elle fait bien ou si elle fait mal. En attendant, elle vérifie ses messages envoyés. Le texto pour son chéri est bien parti à 8 h 18, il y a plus de dix heures…

Pour essayer de penser à autre chose, Lucille attrape le dernier Nothomb sur sa table basse… lorsqu'on sonne. C'est sa copine Helena qui devait passer récupérer des fringues.

Les deux copines se font la bise. Helena s'arrête sur la mine contrariée de Lucille :

— Qu'est-ce qui t'arrive ? Ça a pas l'air d'aller ?

— Ça va… disons que je suis… comment te dire ?… agacée car je n'ai toujours pas de réponse de Romain à mon texto de ce matin et ça m'éneeeeerve ! Tu peux pas t'imaginer.

— Mais attends, si ça se trouve il a peut-être tout simplement plus de batterie ou alors il a oublié son tel chez lui.

— Impossible, il m'aurait envoyé un e-mail.

— Attends ! Je suis sûre qu'il a une bonne raison. Te speede pas comme ça !

Ting. Helena reçoit un SMS de son mec. T'es dispo là ? Elle répond immédiatement. J'suis avec ma cops Lucille Monsieur Do not disturb…

— Ah bah, tu vois, tu réponds bien direct, toi ! lui fait remarquer Lucille.

— Oui mais nous, c'est pas pareil. Tu sais bien que je suis à mon compte et que je bosse de chez moi.

Romain, il bosse en open space, ça ne l'empêche

176

pas de répondre d'habitude. Mais bon, inutile de polémiquer…

Helena partie, Lucille se jette sur le dernier épisode de *Dirty Sexy Money* téléchargé la veille. Son portable est posé sur le rebord du canapé ; il ne bouge pas, ne bipe pas. Un seul texto vous manque et tout est dépeuplé… Lucille attend, se retenant de donner des nouvelles.

La famille Darling l'emmène jusqu'à 23 heures. Là, c'est abuser… ou inquiétant. Lucille file sur Facebook. Romain a peut-être posté un truc, un statut qui expliquerait un tel silence. Mais non. RAS. « Il est chiant, il ne met jamais rien sur Facebook ! Tu m'étonnes que personne n'écrive sur son mur ! »

Envie irrépressible de parler à Helena. Mais ouch, 23 h 15, c'est tard pour l'appeler… Et sur MSN ? Yes ! elle est connectée !

> Lucille dit :
>> Toujours pas de news. Je suis en train de me demander sil ma pas zappée :(
>
> Helena dit :
>> Appelle le, tu seras fixée au moins !
>
> Lucille dit :
>> Non, j'ai trop peur de passer pour une hystérique. Et puis c'est à lui de m'appeler.

00 h 30. Toum ! Toum ! (Petit bruit sourd). C'est Romain ! Il vient de se connecter sur MSN ! Lucille hésite à le surprendre. La minute d'hésitation de trop. Romain est déjà hors ligne. Lucille craque et l'appelle.

Romain décroche direct.

— Hello mademoiselle ! Que me vaut le plaisir de votre appel, si tardif ?

— Ah enfin ! Je n'y croyais plus !

— Comment ça ?

— Je t'ai envoyé un texto ce matin et tu ne m'as pas répondu. Je me demandais ce qui se passait.

— Mais je t'ai répondu !

— Ah ! J'ai rien reçu !

— Attends je checke. Ahh merde t'as raison… y a un petit point d'exclamation rouge… il n'est pas passé… j'étais dans le métro. Bon, j'en ai marre du téléphone, je prends un taxi et j'arrive.

Lucille redescend. Tout va bien. Son Romain ne l'a pas zappée. Mais, son Nokia l'a fait douter…

J'ai fait Bali !

Les vacances. Un sujet sur lequel il ne faut pas plaisanter. On peut rater ce qu'on veut mais pas ses vacances. Et les réussir, c'est un métier. Il faut assurer le *buzz*, le web-reportage, et le service après-vente.

Élodie a commencé à y travailler un mois avant son départ avec ce statut sur son mur :

Élodie Lenoir ce sera… Bali. .et ce sera pendant une semaine en avril ! yes !!.
6 mars, à 18:31 · J'aime· Commenter

Ses amis jouent l'envie comme il faut :

> **Nathalie Mirna** petite veinarde il y a pas une petite place pour moi ?
> 6 mars, à 18:40 · J'aime

Clotilde Savran pffffffffffffff.......... Ça va hein !!
6 mars, à 19:16 · **J'aime**
Patrick Sway tp deg
6 mars, à 19:24 · **J'aime**
Lucien Malkoff encore en vacances !!!! :–p
6 mars, à 20:34 · **J'aime**

Une semaine plus tard, Élodie commence le compte à rebours.

Élodie Lenoir Bali se rapproche… moins de 20 jours maintenant… yes !! ; –)
15 mars, à 18:31 · **J'aime** · **Commenter**

Cela permet de rameuter les copines distraites. Comme Chloé, toujours à l'ouest.

Chloé Charley Ah oui qd même ! mais je savais pas ça !!!!
15 mars, à 18:40 · **J'aime**

Grâce à ce décompte Élodie peut régulièrement exprimer sa joie. À J–7 elle annonce sobrement :

Élodie Lenoir J–7 !
1 avril, à 21:42 · **J'aime** · **Commenter**

À J–3 elle est plus perplexe :
Élodie Lenoir J–3 avant le départ pour Bali !!! Enfin…
4 avril, à 9:41 · **J'aime** · **Commenter**

À J–1, ça devient de plus en plus chaud :
Élodie Lenoir J–1… À nous Bali !
7 avril, à 23:31 · **J'aime** · **Commenter**

Normalement, on fait un *countdown* pour une fusée ou une Coupe du monde de football, mais là c'est pour Élodie qui se coupe du monde. Ainsi l'annonce-t-elle de son iPhone le matin de son départ :

Élodie Lenoir En route pour Roissy… et Bali sans mon PC… vive les vacances !

8 avril, à 10:12 · **J'aime** · **Commenter**

À la lecture de ce dernier communiqué, les copines lui disent au revoir comme si elles étaient à l'aéroport avant l'embarquement.

Chloé Charley Bonnes vacances, ma belle reviens nous en pleine forme et toute dorée :)) !!!

8 avril, à 11:03 · **J'aime**

Clotilde Savran Enjoy !!! Et maxi débrief à ton retour :) bisous

8 avril, à 11:26 · **J'aime**

Charlotte Aufraiz ENJOY !!!!!!!!!!!!!

8 avril, à 14:02 · **J'aime**

Félicie et Lucien lui font leurs dernières recommandations :

Félicie Brunet have fun poulette ! ça me rappelle de bons souvenirs… va manger au bamboo corner un porridge, le top !! et file à Ubud, c'est là bas le vrai BALI surtt pas à Kuta (trop d'australiens qui surfent, et boivent …beurk). Pleins de bisous ma belle !!

8 avril, à 14:02 · **J'aime**

Lucien Malkoff J'ai aussi bcp aimé Kuta à Lombock CT IL YA 10 ans ct encore très typique… Et Sumbawa, si tu as le temps de prendre les navettes ça vaut le détour… plongée exceptionnelle Enjoy

8 avril, à 14:17 · **J'aime**

Ça y est. L'avion a décollé. La course au bonheur est lancée. Le programme : profiter, échapper aux Australiens, ne rien rater, faire de bonnes photos… surtout faire de bonnes photos.

Leur première sortie est au marché d'Ubud. Les étals débordent de fruits, de légumes tropicaux et d'épices. Félicie avait raison. Rien de plus authentique. Élodie se fait prendre en photo devant une pile de blimg blimg, le fameux fruit étoilé balinais.

Élodie et Michaël enchaînent sur l'atelier de peinture, « très réputé » d'après le *Lonely Planet*. Visite au pas de charge des galeries et du musée Puri Lukisan. Michaël est en nage.

— On ne pourrait pas se poser deux secondes ?

— T'inquiète, c'est prévu.

Encore une heure de marche au sein des rizières et ils arrivent enfin au Lotus Café. Vue imprenable sur les milliers de fleurs sacrées du bassin du temple Royal. Armée de son Canon Powershot 5 millions de pixels, Élodie zoome sur les feuilles flottantes des fabacées. Ça fera un super fond d'écran.

Dans leur programme, les amoureux doivent se rendre au temple de Besakhi, « mère de tous les temples » au pied de Gunung Agung, la plus haute montagne de Bali.

Élodie veut une photo avec son mec devant une construction en bois au toit couvert de feuilles de palmier. Michaël demande à un Balinais de les prendre. Ça ne marche pas. La mémoire est saturée. Sur les marches du temple dédié à Shiva, avec à leur gauche les « esprits du bien », à leur droite « les esprits du mal », ils font défiler leurs archives et effacent les photos superflues.

Le troisième jour, Michaël se lève un peu tard et rejoint Élodie dans la salle du petit déjeuner.

— Alors, c'est quoi le programme aujourd'hui ? demande-t-il en s'étirant les bras.

— Les Cascades de GitGit. Dans le *Routard*, ils disent que ça vaut vraiment le coup. Faut qu'on chope la navette de 10 heures.

Ils n'ont pas de retard sur leur planning, mais pas non plus le temps de se laisser aller. Sur place, Michaël s'extasie deux minutes devant la splendeur de GitGit et son « petit écrin de verdure[1] ». L'air est moins humide, il enlève son T-shirt pendant qu'Élodie filme le site à travers l'écran de son numérique. Quand, au terme de son travelling, Michaël entre dans le cadre, il est déjà en maillot sur un rocher prêt à se baigner.

— Attends, attends, ne saute pas direct ! lui crie Élodie. Je vais te prendre quand tu te jettes.

Elle le sait, elle le sent. C'est maintenant le petit moment délire qui va prouver qu'ils se sont éclatés à Bali.

— Alors ça y est ?

— Deux secondes… C'est bon ! Vas-y !

Michaël fait une gambade, bras en haut, jambes écartées. Clic en mode salve. C'est dans la boîte.

— Alors ? lui demande-t-il en sortant la tête de l'eau.

— Excellent ! Y en a une où t'es trop bien !

Ce qu'ils ne savent pas encore, c'est qu'ils l'ont échappé belle car les deux jours qui suivent, il pleut. Impossible de shooter avec une lumière pareille. Montrer des photos de Bali sous le crachin, ça craint.

Michaël en profite pour se faire masser. Élodie erre dans le magasin de souvenirs de l'hôtel. Masques, sta-

---

1. Cf. *Guide du Routard Bali*, Lombok, Édition 2009/2010, collectif.

tuettes, marionnettes… C'est l'arnaque, mais au moins, elle se fait une idée des trucs à rapporter. Une carpe en bois finition pierre par exemple. Sur le chemin du bar où Michaël l'attend pour l'apéritif, elle fait un stop au point d'accès Internet et poste une photo de la plage inondée de soleil, prise le premier jour.

Élodie Lenoir profite bien de Bali.
12 avril, à 14:41 · **J'aime** · **Commenter**

3 personnes aiment ça.

> **Chloé Charley** profite oui !!!!
> 12 avril, à 16:03 · **J'aime**
>
> **Nathalie Mirna** Super !!!! Si tu as besoin d'un chauffeur sur place, fais moi signe, j'ai un ami Balinais à Sanur qui serait ravi de te faire découvrir son île !
> 12 avril, à 18 :04 · **J'aime**

Veille du départ. Élodie et Michaël se baladent sur les quais du port de Singaraja. Michaël prend des photos de Balinais en train de décharger du riz, du maïs et du café. Élodie est plongée dans le *Lonely Planet* :

— Ça te dit pas qu'on aille se balader ailleurs ? J'ai repéré un petit bar sympa à l'écart.

— Ok, vendu.

Élodie glisse le *Lonely* dans sa poche et marche main dans la main avec Michaël sur la digue. Au bout d'un kilomètre, les tourtereaux découvrent une jolie petite plage quasi déserte. Seule une paillote éclairée aux bougies parfumées au bois de santal peuple la crique. Féerique.

Assis sur des coussins posés sur le sable, bercés

par le bruit des vagues, ils sirotent un arak atak[1]. Couchée contre Michaël, Élodie commence à s'abandonner :

— T'as pensé à l'appareil ?

— Bah non... pourquoi ? Tu ne l'as pas pris ?

Élodie se redresse :

— Tu plaisantes ou quoi ?

— Non, en plus, d'habitude, c'est toi qui t'en occupes.

— T'es vraiment un con !

— Attends, il est peut-être dans le sac...

Mais il n'y est pas, et du coup Élodie n'y est plus. Inutile de découvrir un coin de paradis sans l'immortaliser avec des clichés haute définition. Adieu pause romantique, ils rentrent en silence à l'hôtel. Et ils n'auront pas de séance de rattrapage car demain matin, c'est l'aéroport. Pour leur dernier soir, Élodie et Michaël s'installent dans la salle Internet et connectent leur numérique au port USB de l'ordi : 2 gigas, 514 photos. Élodie commence à les faire défiler :

— Ah oui ! Celle-là de toi dans les chutes, vraiment sympa.

Sans attendre l'approbation de Michaël, elle effectue un *drag and drop*[2] et la transfère dans le répertoire « Photos Bali ».

— Des photos de plage, on en a trop, j'en supprime quelques-unes.

_____

1. Alcool local au jus de palme.
2. « Action par laquelle l'utilisateur sélectionne avec le pointeur de la souris un objet à l'écran, le déplace jusqu'à une autre position en maintenant le bouton de la souris appuyé, puis le lâche. » *Journal du Net.*

Michaël hoche la tête. Élodie continue sa sélection.

— Celle-là pas mal ! On la garde. Celle-là mouais, bof, je la *delete*.

Au bout d'une centaine de photos, Michaël dort les yeux ouverts mais s'efforce de temps en temps de donner le change.

— Attends ! Reviens sur celle du temple. Y a une trop belle lumière, tu l'as transférée, celle-là ?

— Non, mais t'as raison, je la prends. Bon, je pense qu'on a toutes les meilleures dans le répertoire. Donc je ferme ?

— Oui, c'est bon.

— 248 photos. Ça va. Mais c'est quand même rageant de ne pas avoir la crique.

Michaël ne relève pas. Élodie dépose son répertoire sur Picasa. « Transfert terminé. » Mission accomplie. Ils peuvent repartir satisfaits.

À l'atterrissage à Roissy, le commandant de bord annonce une « température extérieure de 2 °C » et un temps pluvieux. Bali, c'est fini, mais l'aventure continue sur Facebook. L'avion n'est pas encore garé qu'Élodie rallume son iPhone et publie deux statuts :

Élodie Lenoir Back from Bali !
18 avril, à 18:10· **J'aime** · **Commenter**

Élodie Lenoir Bouh !... comme c'est triste de rentrer !
18 avril, à 18:11· **J'aime** · **Commenter**

Vingt minutes après, sur le *wall* d'Élodie, Chloé revient déjà aux nouvelles.

Chloé Charley Welcome !!!! alors bien rentrés???? j'espère que vous en avez bien profité... gros bisous
18 avril, à 18:30 · **Commenter** · **J'aime**

Élodie la débriefe sur le ton de la confidence, mais en fait s'adresse à tous ses contacts.

Élodie Lenoir Merci ma petite Clo, on a bien profité mais le retour est dur dur. Quand est ce qu'on se voit ? Gros bisousss
18 avril, à 19:41 · **J'aime**

Chloé Charley J'imagine, en plus avec la différence de température !!!!! j'ai hate de vous voir...tu vas encore etre tte bronzée pfffffff ;) hâte de voir les photos
18 avril, à 19:42 · **J'aime**

Ça vient, ça vient. « Jetlagée », Élodie n'arrive pas à dormir. Elle se relève, s'installe dans le salon devant l'écran de son PC, poste sur son profil Facebook un album intitulé « Bali 2010 », et retourne se coucher avec un calmant.

Le lendemain, au bureau, Élodie découvre que :

14 personnes aiment ça.

Clotilde Savran Waouhhhhh............soooooo ooooooooo jealous......
18 avril, à 21:41 · **J'aime**

Chloé Charley j'adoooooooore vos photos
18 avril, à 21:50 · **J'aime**

Patrick, un collègue de boulot, la complimente habilement :

Patrick Sawyzy :) c'est donc là-bas que t'as bien bronzé comme ça !
18 avril, à 22:23 · **J'aime**

Valentin commente une photo de rizières en terrasse :

Valentin Pimout très belle cette photo. ça donne envie de voyager. tu pourrais être une reporter geo :)
18 avril, à 22:41 · **J'aime**

Sur sa page Facebook, Élodie ouvre Cities I've visited™, une application qui génère une carte du monde avec des petits fanions sur les endroits visités. Le *jetlag*, le bronzage, le reportage photos. Élodie a tous les certificats et peut enfin valider Bali. « I've pinned 50 cities in 14 countries », lui annonce Cities. La globe-trotteuse promène son regard sur les cartes des différents continents et zoome, satisfaite, sur le petit fanion balinais qui trône sur la péninsule indochinoise.

Cinquante, ça commence à faire ! Mais, bon, toujours rien en Afrique… Subitement, Élodie a envie d'Égypte. Ou bien non… d'Afrique du Sud plutôt. Elle en parlera à Michaël cette semaine. En plus, Trip Advisor[1] pourra lui proposer des conseils personnalisés.

Pendant la pause, elle croise Patrick à la K-fête.

— Alors ? Ces vacances à Bali ? J'ai regardé vite fait tes photos sur Facebook. T'as l'air d'en avoir bien profité !

— Ouais, c'était top, dépaysant et tout. Si t'as deux minutes, passe me voir en fin de matinée dans mon bureau, je te montrerai d'autres photos.

Patrick se sent un peu obligé d'y aller. Il y va et Élodie lui fait défiler tout Bali en diaporama.

— Ah ouais elles sont vraiment sympas tes photos ! s'extasie-t-il.

— Ouais, faut dire qu'avec Michaël on avait investi dans un bon appareil numérique. Et toi au fait, tes vacances en Andalousie ? T'as les photos ?

— Non. J'en ai pas fait.

— Ah… Et ça s'est bien passé quand même ?

_____

1. Trip Advisor est l'agence de voyage qui a racheté l'application pour une poignée de dollars (3 millions).

Trip déconnexion

Petit sondage issu de L'Internaute[1] :

« En vacances, vous êtes :

• Totalement off : pas de connexion Internet, ni de BlackBerry.

• Toujours un peu connecté : vous pensez déjà un peu à la rentrée.

• Plutôt off : vous êtes joignable en cas d'urgence et vous consultez vos mails une fois par semaine.

• Work addict : vous travaillez sur la plage, le portable collé à l'oreille. »

Et vous, vous vous situez où ?

Mathieu, lui, est à une heure de ses vacances. Il range ses petits crayons et remplit sa clé USB lorsque Annie, sa n+1, vient le voir :

— Tu reviens quand de congés ?

— Le 30.

— Ah ouais quand même, t'as pris deux semaines !

— Oui, mais je reste joignable sur mon mobile en cas d'urgence.

Trente minutes plus tard, Matthieu quitte discrètement l'open space, l'ordi portable en bandoulière.

Dans l'escalier, il reçoit un coup de fil de son pote Alex :

— Ça te dit un ciné demain soir ?

---

1. « Se déconnecter du travail durant les vacances ». Sondage sur le site linternaute.com, 27 juillet 2007.

— Je ne peux pas, je pars une semaine chez mon pote Yann dans le Sud.

— Veinard ! Où ça dans le Sud ?

— À Ganoubre. Un petit bled paumé dans le Tarn à une heure et demie de Toulouse. Je me fais un trip déconnexion.

Samedi matin, départ aux aurores pour éviter les bouchons du péage Saint-Arnoult. Après huit heures de route, Matthieu arrive à proximité de Ganoubre. Une bonne odeur de foin pénètre dans la Citroën. Il se sent revivre. Depuis vingt minutes, il n'a pas croisé un seul véhicule à part un tracteur. À l'entrée du hameau, Matthieu repère la voiture de Yann, se gare à côté et commence à décharger. Empêtré dans ses valises, il reçoit un appel, mais ne sort pas son iPhone à temps. C'était Alex qui a dû zapper qu'il partait aujourd'hui…

Yann lui ouvre chaleureusement la porte de sa demeure. Une vraie petite bicoque de village en pierre, charpente de bois…

— Pose tes affaires là. Je te fais un petit tour du propriétaire.

Après la visite, Matthieu demande à Yann où sont les toilettes. « Au fond à gauche. » À l'intérieur, loquet fermé, Matthieu sort son iPhone pour écouter le message d'Alex. Mais il n'y a pas de réseau.

Yann a sorti les glaçons, le pastis et l'eau. « Ne commence pas sans moi, hein ? lui dit Matthieu. Je vais juste chercher ma veste à la voiture. » À la voiture, autrement dit sur le talus, là où ça captait.

Sauf que sur le talus, ça ne capte plus. Matthieu pivote son iPhone dans tous les sens comme s'il cherchait le nord. Rien.

Dès le lendemain après-midi, Yann et Matthieu partent en randonnée. Les deux compères marchent d'un pas vif. Le sentier devient escarpé, mais Yann crapahute comme un Basque. Des petits murs de pierre, des châtaigniers, des frênes... des bruits de cloches. Matthieu s'ébaubit devant trois vaches sur sa droite.

— Alors, on n'est pas bien là ? s'exclame Yann en tapant sur l'épaule de son ami.

— Si, si. En plus le coin est vraiment superbe !

Yann s'apprête à repartir. *Ding ! ding ! ding ! ding ! Tut !* L'iPhone de Matthieu s'emballe. Quatre SMS, un message vocal, un appel en absence.

— C'est mon iPhone. Ça doit capter en hauteur.

— Rassure-moi. Tu ne vas quand même pas téléphoner ici ?

— Non, non. Je regarde juste mes textos.

Il y en a trois. Sa mère, les Galeries Lafayette et son ami Stéphane. Et un appel en absence d'Alex. Yann s'impatiente :

— C'est bon là, t'as fini ?

— Attends, j'écoute juste ma messagerie. Et merde ! Ça ne capte plus.

Yann réattaque la marche. Ça descend, donc Matthieu suit plus facilement et ressort deux trois fois son iPhone histoire de vérifier que ça ne capte vraiment plus.

Lendemain matin, 8 h 30. Matthieu enfile ses baskets pour aller courir avec en point de mire le coin des vaches où ça capte.

Le soleil n'est pas encore très haut, mais au bout de dix minutes, Matthieu est déjà en nage. Il suit les peintures jaunes en marchant jusqu'à l'enclos des vaches. Effectivement, à côté des blondes d'Aquitaine, ça ne capte pas trop mal. Trois barres de réseau et un signal faible de la 3G.

Matthieu rappelle Alex :

— Salut, compadre, t'as essayé de m'appeler ?

— Mais non, pourquoi ?

— Mais si, samedi aprèm !

— Ah bon, je ne m'en souviens plus.

— Si, t'es dans mon journal d'appel. Samedi 16 h 12. C'était pour quoi ?

— Mais j'en sais rien moi ! Pour boire un canon j'imagine.

Matthieu réussit à rapatrier ses e-mails sur l'iPhone par la 3G, mais c'est plus lent. Quatorze nouveaux messages. Sa tante qui l'invite au festival d'Avignon comme chaque été. Une invitation à un concert de sa copine péruvienne Cristina en duo avec sa sœur… Des newsletters, des promos, des spams, des nouvelles du réseau par Linked'in…

Il charge ensuite ses mails professionnels : une vingtaine mais rien d'urgent. On le met en copie pour tout. Il attendait un mail de son n+1 concernant son budget de recrutement. Mais il ne lui a toujours pas répondu. Soulagé, Matthieu salue les blondes d'Aquitaine et se met à courir dans la descente.

De retour à la maison, Matthieu file sous la douche. Sous l'eau, il repense à son e-mail et se dit que ça serait peut-être bien que demain il relance son n+1 par mail avant le CODIR[1] d'après-demain.

À table, tandis que Yann lui tend sa côte de bœuf et le sert en vin, il craque :

— Tu sais s'il y a une connexion Internet dans le coin ?

— J'en sais rien moi... Peut-être dans un bar.

— Il est où le bar le plus proche ?

— À Saint-Pierre-de-Trivisy mais je ne pense pas qu'ils aient Internet. Mais pourquoi t'as besoin d'Internet ?

— Faut absolument que j'envoie un mail pour le taf.

— Ça peut pas attendre vendredi ? Je voulais t'emmener au marché.

— Non, faut que ça parte avant demain soir.

Finalement Yann se résout à l'accompagner le lendemain matin à Saint-Pierre. Sur place, Matthieu demande à la dame du syndicat d'initiative où il peut trouver un accès Internet dans le coin :

— C'est très simple. Soit vous utilisez notre ordinateur et c'est 5 euros le quart d'heure, soit vous utilisez le vôtre et on vous donne les codes d'accès à notre réseau WiFi.

— Merci beaucoup. Je vais utiliser mon ordi.

Matthieu tape le login : TRIVISYWIRE et le mot de passe : PZQQRY et envoie son e-mail.

— Ça y est ! C'est bon, on peut y aller ! s'exclame Matthieu.

Il revit, mais la vraie délivrance a lieu samedi matin.

---

1. Comité de direction.

Les bagages sont chargés, le portefeuille et l'iPhone sont dans sa poche, Matthieu embrasse son ami, le remercie pour cette semaine et démarre sa voiture.

Dix kilomètres plus loin, il affiche un sourire satisfait. Ça vibre dans sa poche. Il le sent. Ça capte !

Karen consomme les mecs

Karen ne s'ennuie pas avec les hommes. Elle les prend comme des produits, les consomme, puis les repose en rayon quand ils ne lui sont plus d'utilité. Nympho ? Non. Hédoniste. Pressée. Efficace. Une jeune femme d'aujourd'hui. Et aucun risque de se faire avoir : c'est elle qui mène le jeu.

Il y a même un site pour cela : Adopteunmec.com. Un site de rencontres sous forme de supermarché avec « hommes-objets à câliner ». Les hommes sont de simples produits en rayon, et les femmes des clientes qui font leur shopping. C'est fun, et derrière le fun est mis à nu le principe même des sites de rencontres : le consumérisme amoureux.

Karen est comme les autres : elle veut faire les meilleures affaires. Pour optimiser ses chances, elle a un peu arrangé sa fiche. Taille : elle a arrondi à 1,70 mètre alors qu'elle culmine à 67. Poids, elle met 55 kilos même si elle vient d'en reprendre quatre à Noël chez ses parents. Le reste est vrai : cheveux bruns, yeux verts, style rock, fume souvent, mange de tout.

Sur la gauche de sa fiche, dans l'espace « Présentation » elle se présente :

> ^ ^ je suis moi et c'est tout et je recherche un mec qui me fait vibrer. Pervers et bonnet de nuit s'abstenir voilou :) CDD ou CDI, on verra après la période d'essai…pour l'instant recherche intérimaire un gars pas prise de tête… un mec romantique mais pas trop…

À droite de l'annonce, les hommes intéressés pourront en savoir plus sur ses goûts secrets en cliquant sur l'onglet « SEXO » :

Ce qui se cache en dessous	Toute nue sous mon pull, c'est un secret !
Ce qui m'émoustille	Les endroits inattendus, griffer, mordiller
Position favorite	Cuillère
Pratiques sexuelles	Masturbation, fellation, 69, webcam, pénétration
Au lit j'aime	Massage, mise en bouche
Mes accessoires	Bougies, chantilly, chocolat, huiles de massage

ou sur l'onglet « PERSONNALITÉ » :

Ce qui la fait craquer	Une allumette
Ce qui l'excite	Quelque chose d'excitant
Elle déteste	la flagornerie, l'outrecuiDance, le sens de l'humour, les mots compliqués, les cafards

Ses vices	Versa
Elle est	femme enfant, féminine, exubérante, coquine, sensible

Dès qu'elle se connecte, Karen checke les mails de ses prétendants avec qui elle a déjà tchaté : huit. Une moisson classique pour une nuit. Pas le temps de les lire, Jimbo, Dolce, et PetitCanard, des petits nouveaux lui ont déjà lancé « un charme ». Ce n'est pas un envoûtement mystique envoyé par un druide breton, mais un signe virtuel. Le charme, l'unique moyen à disposition des hommes pour attirer l'attention des filles. À Karen, maintenant, de décider si elle veut ou pas entamer un échange avec eux.

Elle démarre par la fiche de PetitCanard : châtain, yeux verts, l'air affirmé. « Pas mal ce mec ! » se dit Karen. Elle l'ajoute à son caddie et enchaîne avec Dolce, 25 ans, 1,75 mètre, 70 kg, blond, visage poupon, cheveux mi-longs, collier en cuir, tee-shirt de surfeur. « Très mignon, ce petit, mais justement trop petit ! En talons, il doit m'arriver au menton. Au suivant ! » Elle clique sur la photo torse nu de Jimbo, 24 ans, abdos style *Men's Health*, « Trop maniéré. On dirait qu'il s'est fait un gommage ». Next ! Entre-temps, la petite enveloppe de sa boîte mail clignote. C'est PetitCanard :

> « Coucou jeune demoiselle, ça va ? passé un bon week-end ? »

Karen veut lui répondre mais voit apparaître en bas à droite de son écran : « Maverick vous a lancé un charme. »

Clic instantané sur la photo du produit sous le charme.

Karen flashe sur sa gueule de Latino de 1,85 mètre.
« Allez hop ! Dans mon caddie, toi ! »

Maverick lui envoie un e-mail sur-le-champ :

Hello. toi, Tu recherches quoi ici amour, amant ou à voir suivant la rencontre ? À très vite, bisous. Maverick.

Karen lui répond immédiatement :

Je sais pas en tout cas je ne veux pas de prise de tête lol

Maverick enchaîne :

Moi aussi, je n'aime pas me prendre la tête et j'adore profiter de l'instant présent. LOL ! Alors faisons connaissance sur MSN.

maverick1987@hotmail.fr. Bisous.

« Il me plaît bien celui-là. Je vais lui proposer cash la webcam », se dit Karen en ouvrant son MSN. Mais Maverick minaude :

Maverick a écrit :
    je préfèrerais qu'on se capte de visu autour d'un verre
Ka_Reine a écrit :
    Allez mon chéri ! fais pas ton relou ! fais — ça pour moi !
Maverick a écrit
    Bon ok, lets'go

Karen est tout excitée. Elle se recoiffe un peu, dénude son épaule gauche et allume la webcam. Déception.

Ka_Reine dit :
    Je cherche la ressemblance.
Maverick dit :
    Comment ça ?
Ka_Reine dit :
    Je te reconnais pas
Maverick dit :
    C'est normal. C'est mon frère en photo. J'espère que tu n'es pas trop déçue

196

Ka_Reine dit :
    Bah si, carrément.
Maverick dit
    Tu ne vas pas t'arrêter aux apparences.
Ka_Reine dit :
    Ben tu rêves. LOL ! Bonne continuation.

Dol sur la marchandise. Karen repose Maverick en rayon sans préavis. Il ne pourra plus jamais avoir accès à elle.

En boîte, elle a du mal à repousser les mecs insistants... La dernière fois à la Loco, un mec bourré lui a mis une main au cul. Elle s'est retournée et l'a giflé. Les vigiles l'ont immobilisé et l'ont dégagé. Glauque.

Sur Adopte, c'est tranquille. Derrière son écran, elle balance des claques virtuelles à volonté.

Maverick *out*. PetitCanard revient à la charge vingt minutes après son premier message :

PetitCanard dit :
    Allo ? T'es encore là ?
Ka_Reine dit :
    Yes ☺))

Elle ajoute un émoticon en forme de clin d'œil de coquine.

PetitCanard dit :
    Ça te dit d'aller voir l'amacœur demain ?
Ka_Reine dit :
    Suis partante ☺ Mais après demain
PetitCanard dit :
    Ok, c'est noté. Je te laisse mon portable au cas où 06********. Biz

Il est déjà 1 heure du mat, c'est fini pour ce soir. Sur Adopte, bilan comptable de Karen, bonus compris, très positif :

visites	5x	6677 =	33 385
charmes	20x	2013 =	40 260
paniers	50x	47 =	100
mails	50x	215 =	10 750
bonus			600
POPULARITÉ		85745 pts	

Le jour du rendez-vous avec PetitCanard, Karen hésite. « Les bottes grises à talons ou les rouges plates ? Allez, va pour les talons ! »

À cent mètres de la place Clichy, elle effectue un petit repérage pour se laisser une porte de sortie au cas où. Quatre mecs traînent devant les guichets, mais aucun ne correspond au signalement de PetitCanard. Quand elle se rapproche, un mec l'aborde, hésitant :

— Karen ?

— Oui... PetitCanard ?

— C'est moi.

Déception, PetitCanard est moins bien que sur la photo. Et son parfum pas terrible. Il l'emmène au Cyrano café. Et là c'est laborieux. Pendant qu'il parle, elle le dévisage. Ongles, haleine, look... elle passe tout au scan et soupèse. « Sa voix passe plutôt bien. Mais il est vraiment trop musclé. Le pendentif, mouais. Aïe les chaussures ! Ça va pas du tout avec sa chemise… »

Bilan ? Bof. Karen ne se voit pas trop faire l'amour avec lui.

PetitCanard continue de se vendre mais Karen le coupe en vol :

— Écoute, je vais être honnête avec toi. Je te voyais différemment.

— Comment ça ?

— Je t'imaginais plus grand.

— Mais je ne t'ai jamais dit que j'étais grand.

— Désolée, ce n'est pas contre toi, mais les mecs à peine plus grands que moi je ne peux pas.

— Tu sais ce que tu veux, toi, au moins…

— Ce que je veux, je ne sais pas, mais je sais ce que je ne veux pas.

Karen pose deux euros sur la table pour son café et se lève.

— T'y vas déjà ? demande PetitCanard.

— Je dois y aller. Bonne chance dans tes recherches.

Arrivée chez elle, Karen redépose PetitCanard en rayon. Un mec de dégagé, dix de retrouvés. Difficile de résister aux charmes des Pimpon55, Kindersurpris, Mother Punker qui trouvent qu'elle a « l'air ouverte et intelligente », que « ses yeux sont magnifiques », qu'elle doit être « douce ».

On est bien loin de ses soirées d'ado où, Malibu-ananas en main, elle repoussait tous les mecs en attendant que Medhi, le seul mec potable de la soirée, vienne lui parler.

Maintenant, elle a des centaines de Medhi sous la

main. Des « promos du jour », des « produits régionaux », des « mecs tombés du camion ». Ce soir, elle n'a pas envie de choisir alors elle met dix mecs d'affilée dans son panier. Elle a dû dépasser le quota car le service de modération lui envoie un message :

Attention à la surconsommation !

Vous êtes en pleine frénésie d'achat, et vos produits risquent de dépérir au fond de votre placard. N'hésitez pas à dire non pour en laisser aux autres clientes, et touchez également vos points de popularité.

Merci et bonnes courses.

Adopteunmec.com

Faut choisir, alors elle prend Lucenzo. Un brun, 28 ans. C'est lui qui a le sourire le plus craquant. Trente minutes d'échanges sur la webcam et un rendez-vous fixé pour le lendemain soir.

Karen avait rendez-vous le même soir avec sa copine Cristina, sa confidente. Elle lui envoie un mail pour annuler :

Désolée ma chérie, j'ai un contretemps… avec un certain Lucenzo… tu verrais sa trogne… il est trop craquant !

En chair et en os, Lucenzo est effectivement beau gosse avec sa barbe de trois jours et ses mèches rebelles. Après, sexuellement il n'est pas à la hauteur de son physique. Faudra qu'elle le raconte à Cristina.

Le surlendemain, Karen est en nuisette sur son lit en train de faire le tri dans ses contacts MSN d'Adopte. « Roméo… Roméo… C'est qui déjà celui-là ? » se demande-t-elle à voix haute.

Sa copine Cristina l'appelle :

— Salut, miss ça va ?? Oui ! tu tombes bien, je suis en train de faire du ménage sur Adopte et j'ai des trous de mémoire. Je t'avais pas déjà parlé d'un certain Roméo ?

— Peut-être, mais je ne m'en souviens pas. Le dernier dont tu m'as parlé c'est Lucenzo ! Alors il était comment en vrai ?

— Oh là là ! m'en parle pas... Au début un feeling incroyable. D'ailleurs, au bout de vingt minutes, je lui ai sorti cash : « C'est bon, viens on va chez moi. »

— T'es grave toi ! Et ensuite ?

— On arrive à l'appart. Et là, à peine entrés, je le plaque contre le mur et je l'entreprends direct à la Sharon Stone.

— Waowww ! Et lui t'a attrapée debout à la Michael Douglas ?

— Ben non... ça l'a grave déstabilisé.

— Comment ça ?

— Ça l'a bloqué ! Il ne bandait même pas, du coup on a arrêté net.

— Ah bon ? Et il a réagi comment ?

— Il m'a sorti : « Je te rappelle si tu veux. » Et je lui ai répondu : « Pour quoi faire ? »

— Waouh, ça casse ! T'as pas voulu discuter avec lui pour le mettre à l'aise et que ça reparte ?

— Pas que ça à faire ma biche, je fais pas dans le social sexuel !

Un mec consomme Karen

Karen est une mangeuse d'hommes. Elle prend les hommes comme des produits en supermarché, les consomme, puis les repose en rayon quand ils ne lui sont plus d'utilité. Nympho ? Non. Hédoniste. Pressée. Efficace. Une jeune femme d'aujourd'hui. Et aucun risque de se faire avoir : c'est elle qui mène le jeu. Aucun risque de se faire avoir ? Pas sûr. À considérer les mecs comme des produits jetables, personne n'est à l'abri de se faire un jour jeter à son tour. Après consommation bien sûr...

Le produit s'appelle Jocelyn, un mec que Karen n'avait pas supprimé de sa liste de contacts MSN. Ils avaient tchaté il y a un mois. Le courant était bien passé. Un soir, bing !, Jocelyn réapparaît sur le tchat : « Coucou ma belle ! Quoi de neuf ? »

Ils ne tournent pas autour du pot et se donnent rendez-vous dans un bar trois jours plus tard. Feeling total. Vers minuit, Karen lui propose un dernier verre chez elle. Ils s'attrapent dans l'escalier et rentrent dans l'appart à moitié débraillés. Cette nuit-là, ils l'ont fait trois fois. Jocelyn, crevé, demande à Karen s'il peut rester dormir. « Non franchement là je préfère que tu rentres », lui répond automatiquement Karen. Sur le pas de la porte, elle lui fait quand même un bisou sur le front.

Quatre jours après, Karen lui envoie un SMS pour le revoir : T'es dispo ce soir ? Jocelyn répond : Yes. Viens chez moi à 21h. 20, rue St Ambroise. Code 51A72. Viens en robe. Kiss.

La porte à peine franchie, il la plaque contre le mur et la chope tout habillée. Pause. Ils trinquent au chablis puis remettent ça par terre dans le salon. Karen ramasse son string et rentre chez elle avant que Jocelyn ne lui fasse comprendre qu'il est temps de partir...

Il est minuit passé mais, dans la rue, Karen ne peut s'empêcher de sonner sa copine Cristina :
— Ça va, je te dérange ?
— Non, non, j'étais en train de me promener sur eBay. Et toi ?
— Je sors de chez Jocelyn.
— Encore ? dis donc tu le vois beaucoup Jocelyn ces derniers temps non ?
— Je te vois venir mais non ! C'est juste un super PQR[1], rien de plus.
— T'es sûre ? Et ça te va bien comme ça ?
— T'inquiète, je gère.

Effectivement Karen gère. Tout le jeu consiste à ne montrer aucun signe d'attachement ; le premier qui affiche ses sentiments a perdu. Pas de réponse avant quinze minutes. Dire « biz » et non « je t'embrasse », trop littéraire. Il faut être bref, informatif, sans affect, professionnel : « Je passe ce soir. », « Ok. », « A + ». On peut faire l'amour, mais on ne doit pas faire l'amoureuse.
Le sexe d'abord, et plus si affinités.

Jusqu'ici Karen a fait un sans faute. Hier, elle a écrit « je t'embrasse » à la place de « biz », mais c'était

_____
1. Plan cul régulier.

une tendresse soupesée. Une façon de lui dire qu'elle est contente de le retrouver ce soir. Pour l'occasion, elle a préparé un bel apéro dînatoire. Jocelyn lui envoie un texto pour la prévenir qu'il ne sera là qu'à 22 heures « Pas de pb, ch'ui là », lui répond-elle par texto. Elle ouvre la bouteille de blanc, grignote les gressins. Jocelyn n'arrive finalement qu'à 22 h 45. Il lui saute dessus direct comme d'habitude. Sans vraiment la regarder, il lui caresse déjà les seins et fait pression pour plus. 0 h 30, ils sont couchés par terre au bas du lit. Karen passe sa main dans ses cheveux :

— Si tu veux, tu peux rester dormir.

— Non, c'est bon, faut que j'y aille.

— T'es sûr ? T'es pas bien là ?

Jocelyn se lève

— Si, si, mais faut que je parte pour ne pas rater le dernier métro.

Elle le regarde descendre l'escalier et ferme doucement la porte. Le lendemain, elle lui envoie un e-mail… inhabituel pour elle :

Salut Jocelyn,
J'espère que t'es bien rentré hier soir et que t'as bien dormi.
J'ai passé en tout cas une soirée très agréable avec toi.
Gros bisous.
Karen

Pas de réponse. Karen le relance par SMS deux jours après. Toujours pas de réponse. Elle voit bien qu'il se connecte régulièrement à MSN mais il ne lui écrit pas.

Un soir, elle craque et lui envoie sur MSN un « cou-cou, ça va ? » dans le vide. Acte suicidaire. Il la bloque dans ses contacts et disparaît.

Avatar

Karen a rencontré Jocelyn sur Adopteunmec.com[1]. Ensemble, ils ont fait l'amour quatre fois. Entre eux, rien de plus qu'un PQR. On ne s'engage pas, on se voit juste pour « partager de bons moments ».

Tout était clair entre eux, sauf que Karen a fini par s'attacher. Jocelyn l'a senti. Il a pris ses distances. Elle a insisté. Il l'a supprimée de ses contacts MSN.

L'enfoiré… Karen est décidée à se venger.

Comment ? Karen a une idée, piéger Jocelyn avec un faux profil sur Adopte.

Étape 1, créer le personnage. Karen réfléchit. La bimbo blonde à forte poitrine, ça ne marchera pas. Il faut qu'elle invente un personnage crédible, sur mesure. Karen fouille dans leurs anciens tchats qu'elle a enregistrés et retrouve son ton protecteur style « je t'explique la vie » qui n'a pas du tout pris avec elle, même si elle le lui a fait croire.

L'avatar de Karen sera une femme de 23 ans avec peu d'expérience.

Karen se remémore les instants passés chez lui. Elle le revoit racontant sa dernière lecture, s'animer sur la réforme des retraites, raconter son voyage en bus au Ghana assis sur le toit entre les sacs de riz et les cages à poules pendant dix-sept heures. Le bus s'arrêtait tout le temps, mais lui restait cool. Pauvre type.

---

1. Site de rencontres pour relations non durables, même si certaines durent.

L'avatar sera stagiaire en journalisme, habitera le XIXᵉ dans un studio décoré bobo et fumera des joints de temps en temps.

Reste la photo. Jocelyn aime les filles « fraîches et jeunes » ; Karen tape « Jolie brune », « 23 ans ». Google Images lui envoie des pages d'étudiantes « câlines et occasionnelles » comme disent leurs annonces. Elle tombe sur une photo plus sérieuse qui a tous les atouts : petit nez, cheveux noirs, peau très blanche. Un léger look femme enfant. Un visage de petite biche espiègle à la Audrey Tautou. Celle-là, c'est clair, elle plaira à Jocelyn.

Karen décide de l'appeler Léa.

Léa est validée par les modérateurs d'Adopte. Le contrôle est assez souple : il suffit de prendre une adresse e-mail différente.

Sur la page d'accueil d'Adopte, le profil de Léa clignote dans la rubrique « Nouvelles clientes à satisfaire ». Karen lance une recherche avec comme mot-clé le pseudo de Jocelyn. Latino_Lover est en ligne ! Karen clique sur sa fiche et Léa met Jocelyn dans son caddie. Deux minutes plus tard, Jocelyn mord à l'hameçon et lui envoie un message :

Félicitations ! Tu viens d'adopter un mâle hispanique de premier choix. Maintenant va falloir assumer !

Un copier-coller au mot près de la phrase d'accroche qu'il a sortie à Karen il y a trois mois !

Léa dit :
Bonjour latino_lover. Tes photos m'ont plu. ;))
Latino_Lover dit :
Merci ma belle. J'espère juste que ton pseudo n'est pas ton vrai prénom car sinon il va falloir faire un procès à tes parents. Je te propose Milka !

> Léa dit :
>   mdr[1] ! Milka je kiffe. Je vais peut être l'adopter !

Léa « kiffe », mais Karen pas du tout. D'abord, elle déteste dire « je kiffe » ensuite, la blague pourrie sur le pseudo, Jocelyn la lui avait déjà faite. Mais Léa continue.

> Latino_Lover dit :
>   Ça te dit de basculer sur MSN ? Car la messagerie ne fonctionne pas correctement sur Adopte.
> Léa dit :
>   Ok si tu veux !

Jocelyn a très envie d'approfondir. Pour faire connaissance, il commence à parler de lui.

> Latino_Lover dit :
>   Dans la vraie vie, je suis chroniqueur musical et DJ reggae, J'anime des concerts et je fais des inter-views. Je travaille dans ce que j'aime ! Et toi tu bosses dans quoi ?
> Léa dit :
>   Suis en dernière année de journalisme. Là je fais mon stage de fin d'étude dans un quotidien.
> Latino_Lover dit :
>   Yes ! On est en phase ! Dans quel journal ?
> Léa dit :
>   Je ne peux pas te le dire.
> Latino_Lover dit :
>   Ah bon pourquoi ? Et sinon tu recherches quoi sur ce site ?
> Léa dit :
>   Je cherche à profiter de la vie…
> Latino_Lover dit :
>   Excellent ! On est décidément trop en phase.

---

1. Mdr : morte de rire.

Léa dit :

Oui pourtant, j'ai un copain, mais je sais pas trop, si c'est vraiment lui… On est jeunes… Et puis ça devient prise de tête il est trop jaloux.

Latino_lover dit :

Je vois, je vois… je te dis un truc. Fuis le plus loin possible !

Karen joue la fille vive et cool qui a de la repartie, mais inexpérimentée. Elle découvre la vie et ça plaît à Jocelyn qui peut l'impressionner et la protéger. Le lendemain soir, il prend le rôle du prof d'anglais.

Latino_Lover dit :

Live the life you love and love the life you live. Time is the master and time alone will tell.

Léa dit :

Super :)) Mais franchement je comprends queudale.

Latino_Lover dit :

Leçon numéro 1. Ouvrez le cahier à la page numéro 2.

Vis la vie que tu aimes et aime la vie que tu vis. À la ligne

Le temps nous guidera et seul le temps te donnera la réponse.

Léa dit :

Ah merci pour la traduction. T'es bilingue toi ! :)))

Latino_Lover dit :

Yeeesss normal c'est mon métier, je me déplace souvent à l'étranger.

Léa dit :

Moi j'ai très envie de voyager. Pour l'instant j'ai pas trop eu l'occas ;((et toi ?

Latino_Lover dit :

Je vais souvent aux States. Du coup j'ai l'accent ricain. Lorsqu'on se verra je te donnerai des cours de phonétique. T'es dispo quand d'ailleurs ?

Léa dit :

Faut que je checke mon agenda. Mais de toute façon ça va être chaud car mon mec vient souvent me chercher au taf. Il dit que c'est pour me voir mais en fait c'est surtout pour me surveiller…
^^

Latino_Lover dit :

Argh ! Un conseil. Je te le redis. Barre-toi vite fait ! ça sent le sapin ton histoire !

Léa dit :

LOL ! Le problème c'est qu'on habite ensemble et c'est lui qui paye le loyer. Stagiaire journaliste ça paye pas beaucoup. :–(

Latino_lover dit :

Voyons voir si t'es prête à partir. T'es habillée là au moins ?

Léa dit :

Oui Monsieur. En robe noire avec dessous à dentelles rouges.

Latino_Lover dit :

Yes ! c'est intéressant ! c'est intéressant ! : –) – : tu me donnes encore plus envie de te rencontrer. Cette semaine, je suis dispo tous les soirs après 19 h.

Tous les soirs pour Léa ! La dernière fois que Karen a demandé à le voir, elle a eu droit à un SMS cavalier : Je serai peut-être dispo mardi ou jeudi soir de la semaine prochaine, mais il se peut que j'annule la veille au soir. Je te confirme ça.

Au tour de Léa de ne pas être disponible.

Léa dit :

En semaine c'est chaud y a mon mec ;(((Mais le week end prochain il part chez sa mère. Si t'es dispo on peut se retrouver samedi à 18 h à l'escargot rue des Pyrénées, un bar sympa. Ça te va ?

Latino_lover dit :

Yes c'est noté.

Six heures avant le rendez-vous, Karen hésite. Lui poser un lapin ou se rendre à L'Escargot et tout lui balancer. Les remords l'emportent. Karen charge Léa d'envoyer un message de dernière minute à Latino_Lover.

Léa dit :

Salut Latino ! Dsl, j'ai perdu ton tel pour t'appeler mais j'ai un contretemps de dernière minute je ne pourrai pas venir à notre rv de 18 h.

Latino_lover dit :

Salut ma princesse, T'as de la chance que je sois connecté.

En fait, depuis l'apparition de Léa, Jocelyn est tout le temps connecté.

Léa dit :

DSL mais va falloir que je supprime mon compte, mon copain m'a grillée dans l'historique de nav. Ça devient trop chaud pour moi de continuer à parler avec toi. Même sur MSN.

Latino_Lover dit :

C'est bien dommage. Je t'ai dit d'arrêter les frais avec ton mec ! En plus, on risque de passer à côté d'une belle histoire. J'ai l'impression qu'on a un feeling incroyable tous les deux. Je le sens carrément entre nous. À toi de voir mais prends une décision vite.

Léa dit :

Bon ok je vais m'arranger pour t'écrire du boulot mais c'est clair que je te parlerai plus de l'ordi de la maison.

Latino_Lover dit :
Ok Princesse, je compte sur toi.

C'est bien ! Jocelyn a mariné une nuit de plus. Karen peut arrêter les frais par e-mail :

Ne le prends pas mal mais quand tu liras cet e-mail mon profil sera supprimé et tu ne seras plus dans mes contacts MSN. Franchement là ça devient vraiment trop chaud. Ça risque de mal finir avec mon mec ;(
Je vais me faire discrète quelque tèmps. Kiss

Jocelyn ne fera jamais la connaissance de Léa. Karen aurait trop aimé voir sa réaction en *live*.

Une semaine plus tard, Jocelyn veut se consoler avec une de ses « sex buddies[1] » qui accourent quand il claque des doigts. Il envoie un message à Karen sur Adopte.

Salut ma belle,
Très envie de te revoir. T'es dispo demain soir ? Si oui passe chez moi vers 20H.
Des bisous partout,
Ton latino préféré

Karen n'est pas Léa et ne sait pas lui résister. Elle répond :

Ok pour demain soir. Serai chez toi vers 20 h 30. Biz

Arrivée chez Jocelyn, Karen s'assoit sur le canapé, face à lui, les deux genoux serrés. Jocelyn ne lui propose pas à boire et se roule un joint. Comme il voit qu'elle ne bouge pas trop, il lui sort, hautain :
— Ah oui c'est vrai ! T'aime bien faire ton quart d'heure social, toi.

---

1. *Sex buddies* ou *Fuck buddies* : une personne avec qui vous avez des rapports sexuels occasionnels ou fréquents.

— J'aime bien discuter. Oui.

Silence pesant que Karen rompt :

— Alors Adopte, ça marche pour toi ?

— Plutôt pas mal. Et toi ? De belles rencontres ?

— Non je me connecte plus trop en ce moment. Ça me soûle, les sites. Et toi ? Elle remonte à quand, ta dernière rencontre ?

— Bah là, il m'arrive un truc trop bizarre ! Ça fait dix jours que je parle avec une fille sur Adopte. Une nana qui a envie de s'éclater mais maquée avec un mec trop jaloux.

Karen détourne son regard vers le plafond pour ne pas rire, mais ça la rend triste. Jocelyn est vraiment un morfal prêt à tout. Mais elle va jusqu'au bout.

— Et tu l'as vue finalement, cette nana ?

— Non ! Trop space. Elle m'a donné rendez-vous, mais m'a annulé au dernier moment. Elle a dû avoir peur de son mec.

— Et après ?

— Elle m'a dit qu'elle arrêtait tout contact car son mec l'a grillée.

Petite pause. Jocelyn tire une grosse latte sur son pétard et se lève pour augmenter un peu le volume de la musique. Karen commence à saturer de la fumée, de son reggae lancinant, de sa posture avachie sur le canapé la bouche ouverte, les yeux rouges. Elle veut se lever, partir, mais n'y arrive pas. Face à lui, elle est comme un papillon anesthésié prêt à être mis sous verre. Il peut faire d'elle ce qu'il veut. Comme si elle avait avalé un GHB[1].

---

1. Gamma-hydroxybutyrate, appelé aussi « drogue du viol » qui désinhibe et endort la personne qui ne se souvient ensuite de rien.

Jocelyn l'interroge :

— Et sinon ?

— Sinon j'ai soif, t'as quelque chose à boire ?

— Il doit rester un peu de jus dans le frigo.

Karen y va. Elle sent qu'il la suit. Elle sait ce qu'il va faire et le laisse faire.

Dix minutes debout. Nouveau préservatif. Quinze minutes sur le sol de la cuisine. Dernière étreinte sur le canapé. Karen a l'impression d'avoir pris son pied. Lui c'est sûr. Il termine les bras et les jambes écartés comme un chien qu'on gratouille sur le ventre.

— Je suis claqué là, dit Jocelyn en relevant un peu sa tête.

— Moi aussi je suis crevée.

— Bon ben moi en tout cas je vais me coucher la miss.

— Ça te dérange que je reste ?

— Tu fais comme tu veux.

Jocelyn va dans sa chambre et s'allonge dans son lit la tête écrasée en direction de la table de nuit. Karen se couche à ses côtés. Elle sent qu'il a déjà fermé les yeux, qu'il veut rester dans son coin, mais l'envie de le sentir, de poser sa tête sur son thorax est très forte.

Elle se retient, laisse passer un peu de temps, puis craque : elle lui caresse le visage. Jocelyn lui pousse la main, énervé :

— T'aimerais qu'on te fasse ça, toi, quand tu dors ? Ça m'a réveillé !

Sans attendre sa réaction, Jocelyn se rendort aussitôt. Karen devrait partir. Mais elle reste là à écouter ses ronflements et à scruter le plafond les yeux ouverts.

Le matin, Karen sent Jocelyn sur le départ et ne le ralentit pas. Comme lui, elle s'habille vite pour être prête en même temps. Dans la rue, elle lui demande la station de Velib' la plus proche. Il lui indique le bout de l'avenue. Karen en prend un, s'arrête cinquante mètres plus loin et lui rédige un texto :

> Au fait, t'as le bonjour de Léa.
> Adieu.
> K

Amazone érogène

Les sites de rencontres favorisent le consumérisme amoureux. Mais le consumérisme se rencontre bien au-delà des sites...

11 heures. Ligne 9. Appuyé contre la porte, Jean mate une jolie passagère en train de lire. Petites œillades discrètes renvoyées par la fille. Pas sûr. Si, à un moment, leurs regards se croisent, mais la belle brune se replonge dans sa lecture. À l'arrivée en station, Jean ose un autre coup d'œil. Cette fois, c'est clair, elle le regarde sans détourner les yeux. Elle lui sourit, se lève d'un coup et s'approche :

— Excusez-moi... Je peux vous donner ça ?

L'inconnue lui tend une carte et descend à la station Bonne-Nouvelle. Les portes se ferment. Jean est scotché. Quelques passagers ayant suivi la scène le regardent avec curiosité. Jalousie ? Méfiance ? Jean préfère ranger la carte dans sa veste et la sortir une fois dehors.

Dessus, une écriture ronde avec juste un prénom griffonné – Liduvine – et un numéro de portable. Délirant. Jean appelle immédiatement son ami Stéphane :

— Il m'est arrivé un truc hallucinant ! Une nana m'a filé son *number* dans le métro !

— Comme ça direct ? Sans que tu lui parles ?

— Yes ! Elle lisait, je l'ai matée et avant de descendre elle s'est levée et m'a filé sa carte.

— Arrête ! Et elle est pas mal ?

— Canon ! Et elle a la classe en plus ! Si ça se trouve, c'est un piège.

— Appelle-la, tu verras bien. Qu'est-ce que tu risques ?

16 heures. Jean compose le numéro :

— Salut c'est Jean, heu… on s'est vus dans le métro.

— Ah oui ! heu… je ne sais pas ce qui m'a pris. Tu es libre ce soir ?

— Oui.

— Tu habites où ?

— À côté de la gare de l'Est.

— Envoie-moi tes coordonnées et je passe te voir vers 20 heures. À toute.

« C'est cavalier quand même, se dit Jean en reposant son téléphone. On n'a même pas eu le temps de discuter. » Jean se dépêche de faire un peu de rangement et descend acheter une bouteille de chablis.

20 h 10. Liduvine débarque. Il lui prend son manteau. Elle est presque aussi canon que dans son sou-

venir. Une jolie brune bouclée toute fine, teint mat et corps de rêve.

— Tu veux un verre de blanc ?

— Non merci. J'ai peu de temps. Tu mesures combien déjà ?

Elle l'attrape par la chemise pour l'embrasser.

Vingt minutes après, encore allongés, Jean tente la conversation :

— T'es incroyable comme fille, toi !

— Pourquoi tu me dis ça ?

— Tu le fais souvent de filer ton numéro à un mec dans le métro ?

— Non, c'est une question de feeling.

Il reste encore vingt minutes à Liduvine : elle doit chercher sa cousine gare de l'Est. Elle rembrasse Jean, ils refont l'amour, elle se rhabille et s'en va.

Jean referme la porte, encore un peu KO. Liduvine ne sera même pas restée une heure. La bouteille de blanc n'a pas bougé et les deux verres à pied sont intacts...

Il s'allume une cigarette. *Post coïtum, animal triste*[1]. L'impression d'avoir été un gode vivant.

___

1. Film de Brigitte Roüan, 1997.

Intérieur pro

Des salles de réunion avec des canapés douillets, des bibliothèques, des plantes vertes, des Kfêtes cosy, des coins lounge, des hamacs. Nos bureaux ressemblent de plus en plus à nos « *home, sweet home* ». Et nos chez-soi de plus en plus à des espaces pro.

Bienvenue chez Fred, qui accueille cet après-midi son copain Théo.

— Salut amigo ! Ça fait trop plaisir ! lance Fred à son ami en lui ouvrant la porte.

Théo est doublement ému. Par ses retrouvailles avec Fred et par l'affiche du jour Argentine-Allemagne, quart de finale de coupe du monde qui débute dans un quart d'heure. C'est un inconditionnel de Diego Maradona.

— On va se prendre une pression bien fraîche au Charbon, histoire de se chauffer un peu avant le match ? propose Théo.

— Pas la peine, j'ai tout ce qu'il faut ici, lui répond Fred en se dirigeant vers sa cuisine américaine.

Posté derrière le comptoir, il actionne sa belle tireuse Russel Hobbs PRO. Un percuteur flambant neuf relié à un fût de six litres fait couler de la Leffe. Fred ajuste le débit puis sert à Théo une pression avec un joli col de mousse.

— Aaaah, ça fait du bien ! Elle est bien fraîche en plus !

— J'ai réglé le thermostat à 8 degrés. Il paraît que c'est la température idéale pour les blondes.

Fred dépose sur la table basse des tomates cerises

et du jambon serrano découpé grâce à sa trancheuse semi-pro.

— T'es comme moi, t'aimes le jambon.

— Oui, j'ai investi dans une machine compétition. Avec son épaisseur de tranches réglable, ça donne une coupe très précise.

Théo fait les cent pas dans le salon :

— D'ailleurs faudrait peut-être qu'on commence sérieusement à se bouger. Tu connais un bar sympa où ils le passent sur grand écran ? ajoute Théo.

— Relax ! J'ai beaucoup mieux que ça !

Fred sort une télécommande et actionne un rétro-projecteur qui diffuse l'image de TF1 sur le mur blanc en face.

— La classe ! Le son est nickel en plus.

— C'est branché sur la chaîne. (Fred s'assoit sur le canapé pour inciter Théo à faire de même.) Alors on n'est pas bien là ?

Le réalisme de l'image est saisissant. Les deux compères ont l'impression d'être sur le banc de touche aux côtés de Diego.

— Oh c'est pas vrai ! Messi, il est vraiment trop mou.

— Ouais, il est cramé par sa saison au Barça.

Les Allemands, eux, sont en forme. Mi-temps. 2-0 pour la *Nationalmannschaft*. Mais Théo garde espoir et chante :

« Ohé, ohé, ohé, ohééé Dieeeeeeeego, Maradooonna, Maradooonna. »

Fred ne réagit pas. Derrière le bar de sa cuisine américaine, il est occupé à vérifier que la pale de pétrissage de sa machine à pain est bien enfoncée.

— Mais tu fais quoi là ? lui demande Théo.

— Je programme ma machine pour qu'on ait du pain frais au miel et à l'orange pour le petit dèj.

— Tu fais ton propre pain ?

— Ouais, je trouve ça sympa. Au moins, tu sais les ingrédients que tu mets.

La deuxième mi-temps a déjà démarré. Les Allemands enfoncent l'équipe de Diego. L'écran est tellement grand que Théo a l'impression que Miroslav Klose tire sur lui. Il sursaute une fois, deux fois. 4-0 pour l'Allemagne. Sévère. Théo et Fred terminent leur quatrième Leffe. Coup de sifflet final. L'Albiceste est éliminée.

Ting ! Théo reçoit un SMS :

— Ça doit être Jens, mon pote de Berlin, qui me charrie... Ah non ! Merde ! c'est le « 1 00 60 » de Pôle Emploi.

Hier à 16 h, vous n'étiez pas actualisé. Faites le avant le 12/07 via pole-emploi.fr ou 3949(gratuit ou 0,11E max) Vous pouvez refuser les SMS via pole-emploi.fr.

Théo se lève d'un seul coup :

— Faut que j'actualise mon profil sinon ils sont capables de me radier. Il est où ton ordi ?

— Dans ma chambre.

— Ok, merci comme ça je me connecte maintenant et ça sera fait !

Fred emmène son pote devant l'ordi. Théo s'installe dans un beau fauteuil noir de P-DG, cuir de qualité, renfort dorsal, soutien lombaire, accoudoirs de première classe.

— On est trop bien là-dessus !

— Pas vrai hein !

Un vrai petit coin bureau avec imprimante laser, petite lampe halogène...

Théo lance Firefox et se connecte à Pole-emploi.fr.

— Elle bombe, ta bécane ! C'est ton portable de boulot ?

— Tu rigoles ! Au taf, ils m'ont filé un Toshiba de base qui rame trop. Celui-là, c'est un HP ProBook 4710s. Je bosse d'ici avec. Chez moi au moins je ne suis pas déconcentré toutes les deux minutes.

C'est comme ça. On passe sa vie en open space. Au bureau, puis à la maison.

Parents *twitters*

18 août 2000. Benjamin naît au sein de cette petite entreprise qui ne connaît pas la crise : sa famille. Trois employés à plein temps : Emmanuelle, 34 ans, Pascal, 35 ans, et Vanessa, 4 ans.

Jusqu'à ses 2 ans, Emmanuelle et Pascal n'ont pas demandé grand-chose à leur Benjamin. Il a pris quelques cours de Mozart dans le plasma de sa mère et s'est laissé bercer par les « gouzi gouzi » de son papa gaga. Ensuite, il a validé ses compétences en petite section. Dans la catégorie graphisme, il a obtenu un beau 3 sur 3 car il tenait correctement son « outil scripteur[1] ». Une légère inquiétude sur sa capacité à maîtriser le « référentiel rebondissant[2] ». Mais après quelques cours particuliers avec son père au jardin

---

1. Nom officiel donné à un stylo par l'Éducation nationale.
2. Nom officiel donné à un ballon par l'Éducation nationale.

d'acclimatation, la compétence a été acquise. Bref, jusqu'ici tout roulait pour Benjamin, comme un référentiel rebondissant sur le parquet du salon.

Mais cette année, il a dix ans. Il entre en CM2. Ça ne rigole plus. Ce soir, Emmanuelle a d'ailleurs quitté exceptionnellement tôt son agence de marketing pour rejoindre Pascal à la réunion de rentrée parents-instits.

Dans le métro, elle rédige un tweet sur son Black-Berry :

Emmanuelle Ducour
Aujourd'hui réunion instits-parents pour le CM2 de Benjamin.
Demain réunion collège de Vanessa 3e.
2 oct Favori Retweeter Répondre

Après un bref discours de bienvenue, le directeur de l'école passe la parole à l'équipe pédagogique. L'institutrice de Benjamin insiste sur l'importance de l'évaluation en CM2 et explique le fonctionnement des réunions internes de concertation. Emmanuelle la coupe en plein vol :

— On aura un compte rendu de ces réunions ou pas ?

— C'est-à-dire ? répond l'institutrice, surprise.

— Je souhaiterais si possible que vous nous diffusiez un compte rendu pour être informés.

— Euh… ben en fait il s'agit de réunions internes…

— Vous voulez dire que les parents ne peuvent pas y être associés ? Pourtant j'avais cru comprendre qu'on faisait partie de l'équipe éducative. Mais j'ai peut-être mal compris.

— Non, non, c'est bien ça. Mais c'est d'accord, je vous ferai passer les infos.

Emmanuelle estime avoir un droit de regard sur le

contenu des leçons. Comme chaque année, elle a téléchargé et épluché le programme officiel distribué par l'Éducation nationale pour le brandir en cas de non-respect du planning. Agacée, Emmanuelle rédige un tweet :

Emmanuelle Ducour
Réunion CM2 un CR devrait être donné à tous les parents surtt aux absents qui n'ont pu prendre leur aprèm @Aurore ça demarre mal !
2 oct Favori Retweeter Répondre

Sa copine Aurore, la mère de Luca, est assise deux rangs devant elle. Elle reçoit son tweet car elle est abonnée au fil d'Emmanuelle. Elle le lit discrètement pendant qu'un père pose une question sur l'accès à la salle informatique.

Dès qu'il a obtenu sa réponse, Emmanuelle revient à la charge :

— Côté programme, vous n'avez pas parlé de la division. Je me demandais quand est-ce que vous alliez aborder cet item ?

— Dans ma progression, je l'ai programmé pour décembre, répond la maîtresse.

— Ah ! ok. Parce que l'an dernier en CM1, c'était déjà au programme mais ils l'ont à peine survolé. Et est-ce que vous allez valider la division par la preuve par neuf ?

— Oui, oui ça sera traité. D'autres questions ?

Un père en costard enchaîne :

— Oui, je voulais savoir concrètement comment ça va se passer pour l'enseignement de la langue vivante ?

— C'est une bonne question. Mais je n'ai pas l'habilitation pour enseigner une langue vivante.

— Ah bon et vous avez trouvé quelqu'un ? demande Aurore d'un ton assez sec.

— Pour l'instant, non, on n'a rien d'assuré.

Quelques parents, dont Emmanuelle et Aurore, se regardent l'air effondré.

Emmanuelle fait une recherche rapide sur Google « Anglais CM2 ». Elle tombe sur un lien de la FCPE qui explique que 94 % des CM2 étudient une langue. Benjamin et Luca feraient-ils partie des 6 % ? Elle partage ce lien sur Twitter.

Emmanuelle Ducour
94 % des CM2 étudient une langue. @Aurore Et nous non !
http://www.fcpe.asso.fr/ewb_pages/elementaire-appren tissage #
Anglais CM2
2 oct Favori Retweeter Répondre

Parmi ses 53 abonnés, Emmanuelle compte des mères parents d'élèves affiliées comme elle à la FCPE[1]. Certaines sont très actives sur le réseau et très au courant des dernières innovations pédagogiques. Trois minutes plus tard, elle reçoit ces deux tweets, avec des liens sur l'anglais en CM2.

Fcpe Paris 16[2]
RT@EmDucour Expérience pilote sur l'apprentissage du CM2
Référentiel de progression http://www.10bauches .com/L-anglais-en-CM2_a658.html
2 oct Favori Retweeter Répondre

Elyse Dumiere
RT @Emmanuelle Ducour : Anglais en CM2 ressource éducative multimédia.Let's Go http://ww2.ac-poitiers.fr/ia16 -peda-gogie/spip.php?article52
2 oct Favori Retweeter Répondre

---

1. FCPE : Fédération de conseils des parents d'élèves de l'école publique.
2. La FCPE sur Twitter.

En cliquant sur le lien, Emmanuelle découvre un document qui lui explique les vertus de « Let's go », un logiciel d'intérêt pédagogique reconnu au niveau européen pour l'apprentissage de l'anglais à l'école primaire. Ça serait bien que Benjamin puisse en profiter.

Dans la salle, les questions fusent sur tous les sujets : « Est-ce que les enfants ont droit au portable ? », « Avez-vous prévu des sorties scolaires ? », « La kermesse est prévue pour quand ? ». Mais Emmanuelle, le nez sur son écran, reste bloquée sur l'anglais.

Elle lève la main :

— Excusez-moi, vous-même, sans habilitation, vous ne vous sentez pas capable d'enseigner le b.a. ba de l'anglais ? Il paraît qu'il y a des méthodes toutes simples avec des logiciels très bien.

— Non, ce n'est pas une question de méthode mais d'habilitation.

Pascal se tourne vers Emmanuelle et lui chuchote à l'oreille :

— Tu vas lui en poser encore beaucoup des questions comme ça ?

— Mais attends ! elle est là pour ça. C'est son job !

— Ok, mais t'es obligée de les poser sur ce ton ?

— Écoute, je les pose comme je veux et je préfère aborder le maximum de points aujourd'hui. Moi, je veux être sûre qu'on ait le meilleur pour Ben.

— Mais c'est le cas...

— Ben la preuve que non ! C'est une honte de ne pas attaquer l'anglais dès la rentrée. Ça veut dire qu'on va devoir lui donner des cours particuliers !

La maîtresse coupe au premier temps mort.

— On va devoir s'arrêter là car on a déjà largement débordé. Et je sais qu'il y en parmi vous qui ont des contraintes. Si vous avez un souci, n'hésitez pas à contacter un conseiller pédagogique.

Pascal, pas mécontent que ça se termine, se lève :

— On y va ?

— Deux secondes, juste deux trois points à voir avec la maîtresse.

— Mais regarde, y a déjà trois parents devant toi !

Dans la queue, Emmanuelle tend l'oreille et arrive à saisir la fin de la conversation en cours.

— Je voulais vous prévenir que ma fille Chloé ratera quatre jours de classe avant les vacances de Noël car on prend l'avion pour la Réunion le mardi matin.

— Normalement vous devez faire une demande à l'Inspection académique.

— Ah bon ? C'est quoi le *process* ?

— Exceptionnellement, c'est bon pour cette fois-ci.

— Vous pourrez me donner les devoirs avant ?

Emmanuelle s'impatiente en checkant son fil Twitter. Pas de nouvelles réponses à ses derniers envois. Aurore qui est déjà passée avec la maîtresse vient la voir :

— Je lui ai parlé du logiciel « Let's go » à partir des explications du PDF lui chuchote-t-elle. Mais elle m'a répondu qu'elle ne disposait pas des moyens pédagogiques pour l'implémenter cette année.

Emmanuelle lève les yeux au ciel.

— En tout cas cette histoire d'anglais, ça m'inquiète pour l'entrée en 6e de Benjamin car je voulais l'inscrire en classe bilingue au collège la Neustrie et là je ne sais pas s'il aura le niveau.

Enfin son tour. Elle s'avance vers l'institutrice :

— Bonjour. Enfin, rebonjour. Je voulais faire le point avec vous sur l'éval de Benjamin.

La maîtresse sort sa fiche contact. Un joli camembert en couleur avec la répartition des compétences.

— Son bilan est globalement positif mais Benjamin peut faire beaucoup mieux. Il est parfois dissipé.

— Il m'a dit que vous l'aviez puni avec deux cents lignes à recopier. Qu'est-ce qui s'est passé ?

— J'ai puni Benjamin parce qu'il perturbait l'activité de géographie. Il embêtait un camarade et il lui a même proféré des grossièretés.

— Des grossièretés ? Ça ne lui ressemble pas. À la maison, Benjamin n'en dit jamais.

— En classe, en tout cas, ces derniers temps, Benjamin est de plus en plus dissipé.

L'instit s'apprête à enchaîner, mais Emmanuelle garde la main :

— Et Nathan ? J'ai l'impression qu'il retarde le groupe classe.

— Nathan est assez agité. Mais des cas particuliers comme lui, il y en a dans toutes les classes. Et notre mission à l'école publique c'est d'accueillir tout le monde.

— Oui d'accord, je comprends bien. Mais le souci c'est que ce petit tire la classe vers le bas et qu'il n'a pas l'air facile à gérer.

— Et vous voudriez faire quoi ? L'exclure ? Un des apprentissages fondamentaux en élémentaire, c'est d'apprendre le « vivre ensemble ».

Emmanuelle a pris sa petite leçon de civisme et repart sérieusement énervée. Son mari est, lui, irrité par le comportement de sa femme.

— Franchement je t'ai trouvée limite avec la maîtresse. Tu vas nous la braquer.

— Dis plutôt que c'est toi qui t'écrases devant elle. Moi je veux que Benji soit au top pour son entrée en 6ᵉ.

Dans la voiture, Emmanuelle reste silencieuse et pianote sur son BlackBerry.

Emmanuelle Ducour
Pas étonnant le niveau d'anglais des français quand on voit l'enseignement en CM2.
2 oct Favori Retweeter Répondre

Emmanuelle vous agace ? Nous aussi. Mais des Emmanuelle vous allez en croiser de plus en plus car nous avons de plus en plus tendance à nous considérer comme des clients. À l'Éducation nationale comme ailleurs.

On attend de l'école ce qu'on attend de notre fournisseur d'accès à Internet : un service à la carte. Avec option tweet illimitée.

Ta mère sur Facebook

Vanessa dit :
    J'hallucine !!!!!! y a ma mère qui m'a demandée en amie. ¨^^
Jennifer dit :
    hehehe : –)))
Jennifer dit :
    Moi ca fait lgtps que ma Mère est ds mes friends. lol !
Vanessa dit :
    c un truc de ouf non ? Elle peut mater ta life ! MDR ;))

227

Jennifer dit

no soucy avec la mienne elle est pas relou.

Jennifer dit

elle commente rien.

Jennifer dit

....

Jennifer dit

tu vas pas envoyer bouler ta mother qd m !!!!! lol !

Vanessa dit

la vérité je c pas. ptdr !

Vanessa dit

en même tps c chaud de la squizzer mais pas envie de l'avoir en friend

Dix minutes plus tard, Emmanuelle, la mère de Vanessa, reçoit sur son BlackBerry une notification par e-mail qu'elle ouvre en sortant de son cours d'Aquagym du samedi matin.

Bonjour Emmanuelle,

Vanessa vous a accepté(e) comme ami(e) sur Facebook.

Pour voir le profil de Vanessa ou écrire sur son mur, suivez ce lien :

http://www.facebook.com/n/?profile.php&id=548116043

Merci,
L'équipe Facebook

Emmanuelle clique et découvre l'identité numérique de sa fille dans les vestiaires de la piscine municipale de Nantes. La première chose qui l'interpelle, c'est son nombre d'amis : 378 ! Ils viennent d'où ? À la maison, elle voit toujours passer les mêmes : Jennifer et Julia. Vanessa a dû demander tout le collège en ami… Ou alors c'est elle qui n'est pas dans le coup avec ses 31 amis.

À la sortie de la piscine, Emmanuelle se pose dans un café pour regarder tout ça tranquillement. Elle est amusée par les photos de profil de sa fille. « Elle est belle ma petite », se dit-elle, toute fière. L'album suivant « Big Love » l'enthousiasme moins. Bien sûr, elle est au courant que sa fille sort avec Anthony, elle l'a même vu une fois, en coup de vent.

Mais là elle les découvre ensemble sous toutes les coutures. Des poses en noir et blanc, ambiance pub pour Diesel, où Vanessa en cuir noir est enlacée à son mec qu'elle embrasse dans le cou avec style. Les amis s'enflamment :

> **Jennifer Ourdonneti** C Miiiiiiiignooooooooooon=) vs etes tp bo que du bonheur et que ça dure
> Auj, 16 :01. **J'aime**
> **Julien Benneteau** Vous etes trop choooouu uuuuuuuux
> Auj, 16:09. J'aime
> **Elea Gonzalez** vs etes beauuuuuuuuuuuuuuux mes amours
> Auj, 17:31. **J'aime**

Emmanuelle trouve ces réactions un peu démesurées. Un statut de sa fille en dit un peu plus long sur sa relation avec son copain.

Vanessa Ducour ne va pas voir son prince jusqu'à marrrrrdiii :(
> 28 novembre, 21:02 · **J'aime** · **Commenter**

> **MllxJu Nuan** aime ça.

> **Anthony Germain** j'aime pas tu vas me manquer jusqu'à mardi :'(
> 28 novembre, 21:03 · **J'aime**

Vanessa Ducour aussi tu vas me manquer BBEY
28 novembre, 21:04 · **J'aime**

Anthony Germain Ma princesse
28 novembre, 21:04 · **J'aime**

Vanessa Ducour BBEY d'amour
23 septembre, 21:09 · **J'aime**

Anthony Germain ♥
28 novembre, 21:09 · **J'aime**

Ils ont l'air vraiment collés l'un à l'autre… Peut-
être un peu trop. À son âge, elle ne devrait pas se
recroqueviller… mais plutôt s'ouvrir, découvrir. À 14
ans, Emmanuelle avait des amourettes mais elle ne
collait pas son petit ami comme ça.

Le lendemain, dimanche après-midi, scène de famille
moderne : papa regarde « Stade 2 », maman lit ses mails
sur son BlackBerry, Vanessa tchate dans sa chambre et
Benjamin, leur petit de 10 ans, joue à la Wii.
Maman abandonne ses mails pour une session sur
Facebook. Elle fait défiler les statuts du mur de
Vanessa et s'arrête sur cet échange :

Elea Gonzalez Tuuu saaais bien que Nous Plaisantions
Avec Julia au moooins ?? :D tu m'a pas prise au serieux quand
meme VD ?
3 octobre, 19:25 · **J'aime** · **Commenter** · **Voir les
liens d'amitié**

Vanessa Ducour aime ça.

Vanessa Ducour Tkt Elea je sais que tu plaisantes
HEUREUSEMENT Lol. Jaime bien les cours d'anglais
avec vous. Ofet sa te gratte plus ?
3 octobre, 22:08 · **J'aime**

Elea Gonzalez J'aime ausssi :D ! Et si c'est un trruuuc de oooouuuf !!! :o
3 octobre, 22:12 · **J'aime**

Vanessa Ducour Alala j'espere que sa passera :s
3 octobre, 22:17 · **J'aime**

MllxJu Nuan Mdrrr heureusement que tu nous as pas pris au serieux non mais attend Elea qu'est ce que tu peux sortir des coneries sexuel entre Nous c xD, J'aai trop keaféé la tete DE VANESSA Quand ta sorti « Arrete ou sinon J'te… plus la… Juliaaaa ! MDR !
3 octobre, 22:17 · **J'aime**

Emmanuelle n'a pas tout compris et bloque sur « coneries sexuel ». Elle ne sait pas trop quoi en penser. Déjà que c'est difficile pour elle d'aborder la question de pilule et la contraception avec son ado de 14 ans...

À ce moment, Pascal vient chercher ses clés de voiture sur la table basse.

— Ah, tiens tu tombes bien. Faut que je te montre un truc.

Son mari s'approche et regarde l'écran par-dessus son épaule :

— T'es sur Facebook ?

— Oui, lis ces commentaires-là s'il te plaît et dis-moi ce que t'en penses.

— Mais, c'est le profil de Vanessa, tu la fliques ou quoi ?

— Mais non ! pas du tout. Je suis dans ses amis.

— Pffffffff, tu peux pas la laisser un peu tranquille et respecter son jardin secret.

— Oh, tout de suite les grands mots !

— T'aurais aimé toi ado qu'on lise ton journal intime ?

— Écoute, arrête s'il te plaît et lis juste ces commentaires car elle m'inquiète un peu notre fille.

— Ah non je ne lirai pas, je ne veux rien savoir, c'est sa vie, point.

Pascal repart avec ses clés. Y a du nouveau sur le mur de Vanessa. Elle a été taguée à la soirée d'Elea. Emmanuelle clique sur les photos. Sur la quatrième photo, elle découvre sa fille au milieu de Jennifer et de son Anthony, avec un joint dans la main droite. Emmanuelle voit rouge et se précipite dans la chambre de Vanessa :

— Qu'est-ce que tu veux ? lui demande sa fille.

— Alors comme ça tu fumes des joints maintenant ?

— Mais qu'est-ce que tu racontes, maman ?

Emmanuelle lui montre la photo sur son Black-Berry.

— C'est pas toi là peut-être ? Et le truc dans ta main là c'est pas un joint ?

— Si, maman, c'est un joint mais j'ai pas fumé moi, il est à Audrey une grande du lycée.

— Je te connais, Vanessa, et je sais quand tu mens alors arrête tu veux bien. Tu fumes depuis quand ? T'as touché à autre chose ?

— Mais non, maman, si je te dis qu'il n'était pas à moi fais-moi confiance.

— Samedi prochain, c'est clair tu restes ici.

— Ah non maman, je n'peux pas rater les 15 ans de Jessica. En plus, papa était d'accord pour m'amener !

— C'était avant cette histoire. Là il n'en est pas question et je te préviens, on ne va pas en rester là !

Pascal arrive :

— Mais arrêtez de crier comme ça ! Qu'est-ce qui vous prend ? C'est quoi le problème ?

— Le problème, c'est que ta fille se drogue. Et j'ai la preuve là sur Facebook.

— Ah, bon ? Fais voir...

Depuis cette histoire, Vanessa s'est créé un second profil : Miss Vaness. Désormais, il y a donc deux Vanessa sur Facebook :

Vanessa Ducour, la gentille Vanessa Ducour, au beau sourire propre sur elle, en robe à fleurs avec dans ses contacts sa mère, sa tante, sa grand-mère et les amis des vieux.

Et Miss Vaness, face B en cuir noir, splif au bec, main de son mec sur ses hanches à mimer le sexe. Une version plus trash, plus authentique... réservée à ses amis.

Farmville

C'est le dernier statut d'Axelle sur Facebook. En français, ça donne « le poney noir d'Axelle a grandi »...

Non, non ! Axelle n'a ni fumé la moquette, ni changé de profession. À 29 ans, ses neurones sont intacts et elle est toujours chef de projet chez IBaiME. Elle fait juste partie des 65 millions de personnes dans le monde qui, chaque jour, jouent à Farmville, un jeu de gestion en réseau sur Facebook où il faut entretenir sa ferme comme un tamagotchi.

Tout a commencé de façon innocente un après-midi au bureau. Axelle vient de remplir son *time sheet*[1] et s'accorde une petite pause perso. Sur son Yahoo, elle découvre une invitation de sa cousine Charlotte à jouer à Farmville. Encore ! C'est la troisième en un mois. Tout le monde en reçoit. Sur Facebook, il y a même un groupe contre ça :

Encore une invitation à Farmville et je brûle ta ferme et égorge tes vaches.

87 817 personnes aiment ça.

Axelle n'en est pas là. Mais que l'invitation vienne de la plus sérieuse de ses cousines... D'ailleurs Charlotte est *online*, c'est le moment de la charrier.

Axelle dit :
    Salut cousine ! Alors ! on s'est transformée en geekette ?
Charlotte dit :
    Alors là, rien à voir ! C'est tout simple Farmville. Même toi t'y arriverais ! Lol !
Axelle dit :
    hahaha ! M'étonnerait. J'ai horreur des jeux vidéo ;((
Charlotte dit :
    Et moi alors, tu crois que je suis fan ? Tiens, je t'envoie le lien. Tu verras bien.

« Juste pour voir », Axelle télécharge l'application sur Facebook et se retrouve au milieu de nulle part avec un petit fermier androgyne aux yeux écarquillés, un peu de terre et un petit mouton. Clic, clic. Elle laboure sa parcelle et plante ses premières fraises. Ok, pigé. Axelle doit maintenant récupérer auprès de

---

1. Feuille de temps, devenue la pointeuse des cadres.

Maxime ses charges d'octobre pour les imputer sur son projet.

Deux heures plus tard, elle se reconnecte à Farmville. Ses parcelles sont couvertes de superbes feuilles cordiformes comme si ça poussait dans son open space, qui manque cruellement de verdure d'ailleurs. La récolte est pour bientôt.

Axelle revient à ses feuilles de temps et recalcule la planification du projet. Concentration. Puis repause Coca Light / Farmville enchanteresse. Dans un paysage bucolique de cartoon, les fraises sont tellement rouges qu'elles lui rappellent ses magnets exotiques collés sur son frigo. Clic, clic. Première récolte ! Gain de ses premiers *farm coins* (monnaie du jeu) et points XP (expérience) ! Suite à la récolte de ses aubergines, Axelle a atteint le niveau 5. « Congratulations », lui dit le jeu. C'est sympa, ça progresse.

Le soir dans son canapé, Axelle se connecte au jeu pour voir la tête de ses *eggplants*[1]. Magnifiques. Elle en replante. Elle en redemande.

Une semaine plus tard, Axelle joue toujours à Farmville. Elle veut troquer ses aubergines pour des melons lorsque – *Blong !* – Un écriteau s'affiche au milieu de son écran :

Charlotte Luvière sent you a Mistery Gift[2].

Axelle ouvre la boîte à cadeau et découvre un joli cheval qui broute tranquillement près de ses framboises. Sympa la cousine, Axelle lui écrit :

---

1. Aubergines, le jeu est en anglais.
2. Charlotte Luvière vous a envoyé un cadeau mystérieux.

Axelle dit :

   Merci cousine mais je le mets où ?

Charlotte dit :

   Alors ? Tu vois, je t'avais dit que tu te prendrais
   au jeu ! LOL ! –)))))

Axelle dit :

   Ouais, ok t'avais raison. Mais mon cheval il ne va
   pas s'échapper là ?

Charlotte dit :

   No stress, il va pas fuir ! Tu peux ajouter une
   écurie. Mais pour pouvoir la construire, il te faut
   des voisins.

Axelle s'active et balance des invitations à tous ses amis de Facebook et aux membres inconnus de Farmville sur www.farmville.forumactif.net.

Hello. Je m'appelle Axelle Luviere (vous me trouverez sous ce nom là sur Facebook) et je cherche des voisins sympas ! N'hésitez pas à m'ajouter ; –)

Et on l'ajoute ! Axelle récolte 25 voisins.

Ensuite, elle lance un appel sur son mur à tous ses nouveaux voisins pour construire son écurie :

Axelle Luviere Besoin de clous et de briques help !!!
Aujourd'hui, 20:04· **J'aime· Commenter·**

Une certaine Pamela lui envoie tout de suite des clous. Et une certaine Pepi, des briques. Clic par clic, Axelle assemble les clous et les briques avec les planches. Son écurie terminée, elle envoie à Pamela et Pepi un message : « Merci les filles j'ai tout reçu. C super génial ça ».

Pamela est une Mexicaine de 27 ans, étudiante en thèse de sociologie. Pepi, une pharmacienne française de 34 ans en congé maternité. Entre les copines fermières, pas de compétition, pas de ragots. Juste des coups de main, des conseils et des cadeaux. Une vraie petite communauté conviviale et solidaire.

Axelle's pig found a Black Truffle on your farm !
Pamela Garcia left one with you and wants to know if you'll share one with them[1].
14 mars, à 20:54 · **J'aime**· **Commenter**·

Un mois plus tard, Axelle est toujours sur Farmville. Tous les soirs, elle tchate avec Pamela, Pepi et les autres de magnolias, de barrières et de cochons… Sa culture extensive de framboises est en place et la construction de sa boulangerie a bien avancé. Pamela suit ça de près :

> Pamela dit :
>> Wow t'as avancé vite dans les framboises. Elles sont magnifiques ;)))
> Axelle dit :
>> Merci querida fermière ! Félicitations aussi pour ton lama tout mignon !

Les compliments de sa voisine Pamela, ça fait toujours du bien ! Mais le plus assidu dans les louanges est le jeu lui-même. Dès qu'Axelle change de niveau : « Congratulations ! » Quand elle gagne un cadeau mystère : « Congratulations ! » Lorsqu'elle fertilise les champs de ses voisins : « Congratulations ! » La reconnaissance, c'est le fuel d'Axelle.

Un soir, Pepi passe dans sa ferme. Une habitude sur Farmville.

---

1. Le cochon de Pamela a trouvé une truffe noire dans votre ferme et voudrait savoir si vous voudriez la partager avec lui.

Pepi visited your farm and left you a Watering Can !
Pepi stopped by to help out and was kind enough to send
you a gift. They hope you find it useful !

Axelle en profite pour l'inviter :

> Axelle dit :
>> coucou Pepi ! ça te dit un café dans ma ferme ?
> Pepi dit :
>> J'arrive, ah la la ! On dirait des petites filles !
> Axelle dit :
>> Ouais de vraies gamines, mais bon y a pas d'âge
>> pour s'amuser. LOL ! Et puis, on ne fait de mal
>> à personne.
> Pepi dit :
>> Yes ! de toute façon, je suis devenue une vraie
>> accro ! hihi ! MDR.

Axelle aussi… À la maison et au bureau, elle y passe de plus en plus de temps. Comme cet après-midi où, après avoir labouré la nuit dernière jusqu'à 3 heures du matin, la fermière high tech pique du nez devant ses tableaux d'affectation des ressources sur MS Project. Alt Tab MS Project / Farmville. Rien de tel que de planter des framboises pour se réveiller. Mais Grégory, son *staffing manager*, surgit du couloir et passe la chercher pour le CARI[1] :

— Tu viens, Axelle ?

Alt/Tab Farmville / MS Project.

— Euh… j'arrive, j'arrive. Commencez sans moi. Je termine juste un truc.

Le truc, c'est son coin framboises… Après sa réunion, Axelle reste au bureau. Il est 21 heures, l'open space est quasi désert et il commence à faire

---

1. Comité d'affectation des ressources internes.

sombre. Elle allume sa loupiote, plante ses tomates et chasse les corbeaux de la ferme de Pamela. Clic, clic, clic. Mis bout à bout, elle en est déjà à trois heures de Farmville aujourd'hui... L'alarme de l'iPhone retentit. 21 heures ! « Merde, j'avais zappé ! » gémit Axelle en rangeant ses affaires. Zappé quoi ? Son pot *IRL*[1] avec ses copines Amélie, Susanna et Karen. Axelle saute dans un taxi et fonce au Havana Club.

Pas de bouton *off* dans Farmville. Les tomates continuent à pousser et les vaches à brouter même quand elle boit du mojito. L'heure de la récolte est proche. Pendant que Karen raconte à ses copines ses aventures avec Jocelyn, un « très bon coup », Axelle ne pense qu'à ça (à ses tomates). Tentative discrète de connexion sous la table via son iPhone. Mais ça rame. La 3G passe mal rue Vavin.

— Tu fais quoi ? la surprend Karen

— Rien ! Je matais juste mes SMS.

Raté. L'heure tourne. Plus que dix minutes pour la récolte des tomates. Si Axelle laisse passer le coche, elles vont flétrir, et elle devra racheter des semences et tout replanter. Axelle se lance :

— Bon, les filles, je vais vous laisser. Demain je dois être tôt au boulot.

À peine sortie du bar, hors de vue de ses copines, elle s'arrête et charge sa ferme sur son iPhone. Un clic pour la récolte, un clic pour le labourage. Voilà, c'est fait.

Quand elle rentre chez elle, son copain, Ludo, dort déjà. Tant mieux. Elle va pouvoir se refaire une bonne

---

1. IRL : In Real Life. Dans la vraie vie.

séance de Farmville et optimiser ses récoltes. Sur le blog d'un joueur, elle a trouvé un tableau de rentabilité avec temps de pousse, coût (labeur compris) et prix de revente de chaque plante. Résultat de son *benchmark* : les asperges, ça rapporte.

Axelle est devenue une fermière capitaliste digne des plus grands betteraviers du bassin parisien. Elle est au niveau 42 avec 69 765 *coins* en banque, une boulangerie qui tourne, 7 moutons, 3 vaches blanches, une vache rose, un magnolia, une chèvre.

Sur Farmville, Axelle connaît à l'avance les différents stades de progression de sa ferme. Retour sur investissement garanti. Plaisir du travail bien fait. Sentiment d'accomplissement. Il suffit de bien gérer et d'y consacrer du temps et ça progresse. Tout le contraire de la vraie vie où quand Axelle dit : « T'inquiète je gère », c'est qu'elle est dépassée par un tas d'imprévus et ne gère presque plus rien.

À 1 heure du matin, alors qu'elle vient juste de planter ses asperges, Axelle reçoit un message de Pamela.

> Pamela dit :
>> Tu serais partante pour un projet de coproduction de tulipes rouges pour gagner un éléphant de cirque ?
>
> Axelle dit :
>> Tope là ! LOL ! T'as calculé l'heure de la récolte ?
>
> Pamela dit :
>> Ouais y a un petit souci avec le décalage horaire Mexique France, ça te fait lever à 6 AM.
>
> Axelle dit :
>> Pas de souci, j'y serai !! On l'aura cette médaille d'or.

Axelle rejoint son copain au lit ; elle se love contre lui et s'endort. Quatre heures plus tard, elle s'extirpe discrètement de la couette et s'installe devant l'ordinateur à la cuisine. Clic. Clic. Clic. Mission accomplie. Pamela est en ligne. Elles se font coucou et se félicitent mutuellement. Ponctuelles, elles ont remporté le premier prix : un éléphant de cirque.

Le radio-réveil sonne dans la chambre. 7 h 15. Ludo prend son iPhone sur la table de nuit. Comme tous les matins, il regarde ses mails et découvre les notifications d'activité d'Axelle sur Farmville par Facebook.

Axelle Luviere finished a job in Farmville with their friends Pamela. Together... they grew 1450 Red Tulips and received the Gold Medal, and they want to share a bonus with their friends !
Aujourd'hui, à 6:00 · **J'aime** · **Commenter** ·

Axelle Luviere is working hard on a Botanical Garden in Farmville !
Axelle just installed the last Green Beam they need for their Botanical Garden ! Michelle even has a few spares that they want to share with you !
Aujourd'hui, à 6:20· **J'aime**· **Commenter** ·

Axelle Luviere is movin' on up to level 43 in Farmville !
Il y a l h via FarmVille · **J'aime** · **Commenter** ·
Play FarmVille now

Ludo sort de son lit et passe la tête dans l'encadrement de la porte du salon :
— Elles vont bien, tes tomates ?
— Qu'est-ce que tu racontes ?

— On voit que ça sur Facebook. Et se lever à 6 heures pour Farmville, ça craint.

— Oh ça va ! De toute façon, j'arrête quand je veux.

— Alors arrête...

On vous a parlé de Farmville car c'est le plus populaire. Mais il y a aussi Frontierville[1], Happy Aquarium[2], Treasure Isle[3], Café City[4] issus de la société Zynga[5] et Restaurant city[6], Zoo world, Treasure Madness... Des jeux gratuits, où leurs millions d'adeptes, pour la plupart adultes[7], ne gagnent rien... si ce n'est le plaisir de bien gérer leurs affaires, et de recevoir des « Congratulations ! ».

Géolocalisations

Pour vivre heureux, vivons cachés... Mais peut-on encore vivre caché aujourd'hui ?

Avec Google Street View, n'importe qui peut

1. 28 926 694 utilisateurs actifs par mois.
2. 9 982 176 utilisateurs actifs par mois.
3. 13 240 844 utilisateurs actifs par mois.
4. 17 064 263 utilisateurs actifs par mois.
5. Zinga, entreprise américaine fournisseur de jeux vidéo pour réseaux sociaux, 715 employés, financée par la société russe de capital-risque Digital Sky Technologies à hauteur de 180 millions de dollars.
6. 8 056 490 utilisateurs actifs par mois.
7. Aux États-Unis, la moyenne d'âge des joueurs en ligne est de 35 ans. En France de 30 ans.

zoomer sur votre maison. Avec votre Pass Navigo, votre carte bancaire, ou votre téléphone, on peut vous suivre à la trace. Déplaisant ? Sans doute. Mais il va falloir vous y faire car tout le monde, et surtout vos amis, veulent savoir ce que vous faites et où vous êtes.

Ce soir, Noémie rejoint sa copine Nadia Chez Jeannette pour un apéro. Elle l'aperçoit assise au fond du bar les yeux rivés sur son iPhone.

— Salut toi ! T'as l'air concentrée !

— J'étais juste en train de pourrir le mur d'Agathe qui se la pète en se géolocalisant au Boca Chica.

— Ah ouais ? C'est possible ça ? Tu me montres comment ça marche ? s'enthousiasme Noémie en lui tendant son iPhone.

Mais il se met à vibrer. Coup d'œil sur l'écran. C'est Nicolas, son copain. Elle reprend son téléphone et décroche.

— Allô ? Oui… Alors, on t'attend… T'es où là ?

— J'arrive, j'arrive ! Je suis là dans vingt minutes lui répond Nicolas.

« J'arrive. » L'esquive classique au « T'es où ? ». En disant cela, Nicolas évite de dire qu'il était chez son ami Ludo en train de se défouler sur FIFA 2010. Mais cela ni Noémie ni Nadia n'en sauront rien. Elles sont trop absorbées par l'application de géolocalisation de Facebook.

— Tu vois, dès que tu rentres dans « Lieux[1] », tu

_____

1. Outil de géolocalisation pour les utilisateurs de Facebook sur mobile avec GPS. *Places* (ou Lieux) permet à l'utilisateur d'indiquer où il se trouve, ce qu'il y fait, avec qui il est, et aussi de visualiser où sont ses amis.

vois tout de suite où sont tes amis, explique Nadia en montrant l'écran à son amie.

Noémie voit une liste de 11 amis de Nadia qui se sont géolocalisés récemment.

Xavier Brunil
Aéroport Bordeaux Merignac
Il y a 12 mn

Julie Pietri
Aux Délices de Pont sur Yonne
Il y a deux heures

Khalid Bouzidi
Basilique Sainte Thérèse de Lisieux
Il y a 16 h

Benjamin Castaldo
Bibliothèque François Mitterrand
Il y a 20 h
...

— Benjamin à la BNF ! C'est une blague ! s'exclame Noémie.

— C'est marrant. Y a quelqu'un qui dit comme toi.
Nadia clique sur **Benjamin Castaldo** et lui montre le commentaire de Jérémy :

Jérémy Mutin : problème de géoloc : t'es au Harrys. Tout le monde le sait
Dim 18:27
Benjamin Castaldo : LOL. J'essaye de me cultiver...
Dim 18:45

— Marrant. Et nous aussi, tu peux nous géolocaliser ici ? demande Noémie.

— Oui, je pense. C'est un bar, ça doit être référencé.

244

En haut à droite de la liste des amis, Nadia clique sur un petit bouton bleu : « Et vous ? »

Le GPS intégré de l'iPhone repère leur position et l'appli Lieux fournit une liste d'emplacements référencés. Nadia sélectionne le premier de la liste : « Chez Jeannette » et clique sur « Je suis là ! ».

— Regarde ce qu'on va faire, dit Nadia en baissant la voix. Nico et toi, je vais vous localiser avec moi.

Nadia clique sur « Identifier des amis » et sélectionne Noémie Musset et Nicolas Trunin parmi sa liste d'amis.

— Mais Nico n'est pas arrivé !

— Pas grave ; on n'a qu'à faire comme s'il était arrivé !

Nadia lève les yeux de son écran pour sourire à Noémie et aperçoit Nicolas qui vient d'entrer dans le bar.

— Tiens, d'ailleurs le voilà !

Il les repère et se dirige vers leur table. Elles l'accueillent avec un sourire complice.

— Qu'est-ce qu'il y a ? leur demande Nicolas en s'asseyant.

— Regarde ton Facebook, y a une petite surprise.

Nicolas sort son iPhone de sa poche, se connecte et voit :

Nadia Zouhir est : **Chez Jeannette** avec **Noémie Musset** et **Nicolas Trunin**.

Il y a 1 mn **Commenter** · **J'aime** · **Identifier des amis**

— C'est quoi ces conneries ! ? Vous m'enlevez ça tout de suite !

— Oh, c'est bon, pas de panique ! T'as qu'à cliquer sur « Retirer », lui explique Nadia.

— C'est vraiment des trucs de Big Brother ! s'agace Nicolas en essayant de faire la manipulation.

Nadia lui arrache le téléphone des mains pour le faire à sa place.

— Ça y est, c'est enlevé !

— Ouais, mais en attendant tout le monde l'a vu, râle Nicolas.

« Tout le monde », c'est surtout son copain Emmanuel à qui il a dit qu'il ne pourrait pas le voir ce soir...

Mais Noémie, elle, trouve ça marrant. Alors, elle signale mardi soir qu'elle déguste tranquillement un *macchiato* avec Nadia au Starbucks Coffee Beaubourg. Paris 1er. Mercredi en fin d'après-midi qu'elle se balade au Square des Invalides. Paris 7e. Vendredi midi qu'elle fait sa séance d'abdo-fessiers au Club Med Gym Champs Élysées. Paris 8e. Aujourd'hui, 20 h 30 qu'elle est à l'expo Larry Clark, Musée d'Art Moderne, avenue du Président-Wilson. Paris 16e. Même s'ils lui ont refusé l'entrée (trop de monde), elle peut au moins prouver aux autres qu'elle a eu l'intention d'y aller.

Noémie Musset est au Musée d'art Moderne de Paris
   Vendredi 30 avril, à 20:30

Noémie Musset Bouhhhh pas pu rentrer à l'expo Larry Clark :(((
   Il y a 30 min

Big Brother is watching you ? Pas vraiment. Aujourd'hui, nous enfilons nous-mêmes nos bracelets électroniques pour nous épier mutuellement. Orwell, c'est du passé. Pas de *big brother* à l'ère de l'iPhone et de Facebook : nous sommes tous devenus des *little brothers*.

Merci à Marie ; Bruno G. ; Nico ; July ; Duardo ; Jean E. ; Jérôme L. ; Patty ; Michelle A. ; Rachel ; David R. ; Sylvie ; Michel M. ; le Matthews ; Sandie ; Mel ; Guillaume T. ; Youmna O. ; Margot ; Luco ; Olivier B. ; Lucille P… et à tous ceux qui ont accepté de répondre à nos questions souvent indiscrètes.

Merci également à tous ceux qui n'ont pas répondu à nos questions indiscrètes mais dont nous avons utilisé les données personnelles… disponibles sur Facebook. Bien évidemment, nous avons fait en sorte que ces contributeurs involontaires ne puissent être identifiés.

Un merci tout particulier à Guillaume, notre éditeur, pour sa patience, sa passion et son exigence. Merci aussi à sa compagne de nous l'avoir laissé pour ce livre qui, fidèle à son propos, s'est invité dans sa vie privée.

Composé par Nord Compo
à Villeneuve-d'Ascq (Nord)

Imprimé en France par

MAURY-IMPRIMEUR
à Malesherbes (Loiret)
en mars 2012

POCKET – 12, avenue d'Italie – 75627 Paris Cedex 13

N° d'impression : 172046
Dépôt légal : avril 2012
S22144/01